REPÈRES PRATIC

G000271011

L'HISTOIRE de FRANCE

Gérard LABRUNE
Philippe TOUTAIN
Annie ZWANG

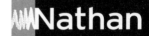

Sommaire

© Nathan, 25 avenue Pierre-de-Coubertin, 75013 Paris, 2016 pour la présente édition - ISBN 978-2-09-164131-7

MODE D'EMPLOI

**Divisé en six parties, l'ouvrage s'organise par doubles pages.
Chaque double page fait le point sur une notion.**

À gauche
Une page synthèse apporte toutes les informations pour comprendre la notion abordée dans la double page.

À droite
Une page explication développe un point particulier qui illustre et complète la page de gauche.

*Le menu aide à repérer
les six parties du livre.*

L'introduction cerne le sujet.

*Le titre de la page de droite
met en lumière un point
particulier.*

*Le titre annonce
le thème de la double page.*

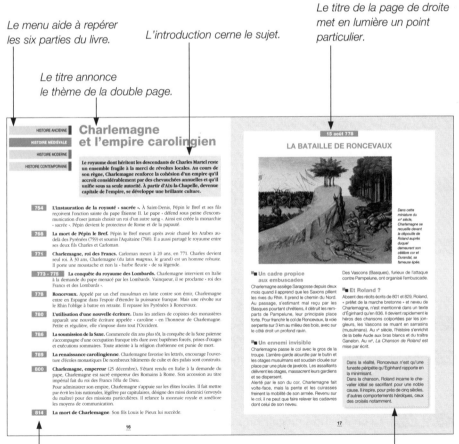

HISTOIRE ANCIENNE
HISTOIRE MÉDIÉVALE
HISTOIRE MODERNE
HISTOIRE CONTEMPORAINE

Charlemagne et l'empire carolingien

Le royaume dont héritent les descendants de Charles Martel reste un ensemble fragile à la merci de révoltes locales. Au cours de son règne, Charlemagne renforce la cohésion d'un empire qu'il accroît considérablement par des chevauchées annuelles et qu'il unifie sous sa seule autorité. À partir d'Aix-la-Chapelle, devenue capitale de l'empire, se développe une brillante culture.

754 **L'instauration de la royauté « sacrée ».** À Saint-Denis, Pépin le Bref et ses fils reçoivent l'onction sainte du pape Étienne II. Le pape « défend sous peine d'excommunication d'oser jamais choisir un roi d'un autre sang ». Ainsi est créée la monarchie « sacrée ». Pépin devient le protecteur de Rome et de la papauté.

768 **La mort de Pépin le Bref.** Pépin le Bref meurt après avoir chassé les Arabes au-delà des Pyrénées (759) et soumis l'Aquitaine (768). Il a aussi partagé le royaume entre ses deux fils Charles et Carloman.

771 **Charlemagne, roi des Francs.** Carloman meurt à 20 ans, en 771. Charles devient seul roi. À 30 ans, Charlemagne (du latin *magnus*, le grand) est un homme robuste. Il porte une moustache et non la « barbe fleurie » de sa légende.

773 - 775 **La conquête du royaume des Lombards.** Charlemagne intervient en Italie à la demande du pape menacé par les Lombards. Vainqueur, il se proclame « roi des Francs et des Lombards ».

778 **Roncevaux.** Appelé par un chef musulman en lutte contre son émir, Charlemagne entre en Espagne dans l'espoir d'étendre la puissance franque. Mais une révolte sur le Rhin l'oblige à battre en retraite. Il repasse les Pyrénées à Roncevaux.

780 **L'utilisation d'une nouvelle écriture.** Dans les ateliers de copistes des monastères apparaît une nouvelle écriture appelée « caroline » en l'honneur de Charlemagne. Petite et régulière, elle s'impose dans tout l'Occident.

786 **La soumission de la Saxe.** Commencée dix ans plus tôt, la conquête de la Saxe païenne s'accompagne d'une occupation franque très dure avec baptêmes forcés, prises d'otages et exécutions sommaires. Toute atteinte à la religion chrétienne est punie de mort.

789 **La renaissance carolingienne.** Charlemagne favorise les lettrés, encourage l'ouverture d'écoles monastiques. De nombreux bâtiments de culte et des palais sont construits.

800 **Charlemagne, empereur** (25 décembre). S'étant rendu en Italie à la demande du pape, Charlemagne est sacré empereur des Romains à Rome. Son accession au titre impérial fait du roi des Francs l'élu de Dieu.
Pour administrer son empire, Charlemagne s'appuie sur les élites locales. Il fait mettre par écrit les lois nationales, légifère par capitulaires, désigne des missi dominici (envoyés du maître) pour des missions particulières. Il relance la monnaie royale et améliore les moyens de communication.

814 **La mort de Charlemagne.** Son fils Louis le Pieux lui succède.

16

---

15 août 778

LA BATAILLE DE RONCEVAUX

Dans cette miniature du xⁱᵉ siècle, Charlemagne se recueille devant la dépouille de Roland auprès duquel demeurent son célèbre cor et Durandal, sa fameuse épée.

■ Un cadre propice aux embuscades
Charlemagne assiège Saragosse depuis deux mois quand il apprend que les Saxons pillent les rives du Rhin. Il prend le chemin du Nord. Au passage, s'estimant mal reçu par les Basques pourtant chrétiens, il détruit les remparts de Pampelune, leur principale place forte. Pour franchir le col de Roncevaux, la voie serpente sur 3 km au milieu des bois, avec sur le côté droit un profond ravin.

■ Un ennemi invisible
Charlemagne passe le col avec le gros de la troupe. L'arrière-garde alourdie par le butin et les otages musulmans est soudain clouée sur place par une pluie de javelots. Les assaillants délivrent les otages, massacrent leurs gardiens et se dispersent.
Alerté par le son du cor, Charlemagne fait volte-face, mais la pente et les cuirasses freinent la mobilité de son armée. Revenu sur le col, il ne peut que faire relever les cadavres dont celui de son neveu.

Des Vascons (Basques), furieux de l'attaque contre Pampelune, ont organisé l'embuscade.

■ Et Roland ?
Absent des récits écrits de 801 et 829, Roland, « préfet de la marche bretonne » et neveu de Charlemagne, n'est mentionné dans un texte d'Éginhard qu'en 836. Il devient rapidement le héros des chansons colportées par les jongleurs, les Vascons se muant en sarrasins (musulmans). Au xⁱᵉ siècle, l'histoire s'enrichit de la belle Aude aux bras blancs et du traître Ganelon. Au xⁱᵉ siècle, *La Chanson de Roland* est mise par écrit.

Dans la réalité, Roncevaux n'est qu'une funeste péripétie qu'Éginhard rapporte en la minimisant.
Dans la chanson, Roland incarne le chevalier idéal se sacrifiant pour un noble cause. Il inspire, pour près de cinq siècles, d'autres comportements héroïques, ceux des croisés notamment.

17

*Les sous-titres permettent
de saisir l'essentiel
en un seul coup d'œil.*

*L'encadré fait ressortir
l'information, révèle
une anecdote particulière.*

3

La Préhistoire en France : des chasseurs aux premiers cultivateurs

Après les hominidés (il y a 7 millions d'années), les hommes apparaissent vers 3 millions d'années en Afrique et 2 millions en Europe. Commence ainsi le Paléolithique (âge de la pierre ancienne) fondé sur la chasse et de la cueillette, auquel succède le Néolithique (âge de la pierre nouvelle), marqué par les débuts de l'agriculture puis par la maîtrise des métaux.

– 2 000 000 **La première trace de présence humaine.** Des galets aménagés (ou taillés) trouvés à Chillac (Haute Loire) seraient le signe de la présence de l'*homo erectus* (« L'homme dressé »). Mais c'est à Lusignan-la-Cède (Hérault) que l'on a réellement prouvé la plus ancienne présence humaine sur le sol français (– 1 600 000).

– 550 000 **Le plus ancien reste humain de France.** Une dent trouvée à Tautavel (Pyrénées-Orientales), en 2015, est le plus ancien fossile humain découvert en France.

– 400 000 **La maîtrise du feu.** Deux sites, Plouhinec (Finistère) et Terra Amata (Alpes Maritimes) ont révélé des foyers entretenus par l'homme. L'*homo erectus* vit alors de la pêche, de la chasse et de la cueillette. Il utilise des bifaces (pierres en forme d'amande à double tranchant) et s'abrite à l'entrée des cavernes.

– 100 000 **L'homme de Néandertal** (du nom d'un fossile humain trouvé dans la vallée de la Neander en Allemagne) correspond au type *homo sapiens*. Les Néandertaliens, de petite stature (1,55 m), à la tête volumineuse, travaillant les éclats rocheux, ont disparu vers – 35 000 ans.

– 40 000 **L'homme trouvé dans l'abri Cro-Magnon** (Les Eyzies-de-Tayac en Dordogne) est aussi un *homo sapiens*. Il mesure au moins 1,75 m ; sa forme crânienne ressemble à la nôtre. C'est un « homme anatomiquement moderne ». Avec le silex, il fabrique des armes tranchantes ; il travaille les os des animaux (harpons, sagaies, propulseurs, aiguilles).

– 35 000 **Les premières expressions artistiques.** Les hommes réalisent des sculptures comme la dame de Brassempouy et d'extraordinaires peintures rupestres.

– 5900 à – 5500 **Les hommes du néolithique.** Les premières traces ont été trouvées à Courthézon (Vaucluse). Depuis la Mésopotamie arrivent des agriculteurs éleveurs ; progressivement, se mettent en place la fabrication des poteries, la domestication des animaux, la sédentarisation.

– 4700 **La civilisation mégalithique.** Elle se caractérise par des monuments comme les menhirs tels que les alignements de Carnac (Morbihan) et les dolmens. Ces derniers servaient de sépulture, comme la nécropole de Bougon (Deux-Sèvres), l'une des plus anciennes d'Europe.

– 2500 **Les premiers objets métalliques.** L'industrie du cuivre, venue d'Orient, s'étend peu à peu. L'alliage du cuivre et de l'étain donne naissance à la fabrication du bronze (– 2 200 en France).

LA GROTTE CHAUVET

■ Les plus anciennes peintures du monde

La grotte, située à Vallon-Pont-D'arc en Ardèche, a été découverte en 1994. On y a relevé plus de mille représentations dont 447 d'animaux qui figurent parmi les plus anciennes peintures retrouvées au monde. Elles témoignent d'une grande maîtrise du dessin et de la capacité à représenter le mouvement.

■ Un bestiaire extraordinaire

Des signes, des symboles, des mains mais surtout des animaux sont représentés sur les parois de la grotte, longue de 500 m. On remarque des animaux dangereux comme les lions des cavernes, les mammouths, les ours, les rhinocéros, les bisons, les aurochs mais aussi nombre de chevaux, de rennes, d'élans, de bouquetins… Plus de 4 000 restes de la faune du paléolithique et des empreintes de pas humains ont été retrouvés.

■ Un témoignage exceptionnel

Les représentations témoignent de la rigueur du climat. C'est alors la dernière glaciation. Elles montrent aussi l'importance des animaux dont on tire tout ce dont on a besoin : viande, os, cuir, fourrure.

D'autres grottes plus récentes, comme Cosquer (– 28 000), Cussac (– 20 000), Lascaux (– 18 000)… témoignent de l'art des hommes de la Préhistoire. Afin de les préserver, Lascaux et Chauvet ne sont pas ouvertes au public mais des sites les reproduisant ont été édifiés.

La grande fresque de la salle du fond

La faune est d'une extrême richesse. Lions, rhinocéros, aurochs, sont représentés en mouvement.

La Gaule celtique

Venus de l'est vers 1200 av. J.-C. (ou vers – 3000), des peuples que l'on regroupe sous le nom de Celtes arrivent jusqu'à l'ouest de l'Europe. À ceux qui s'installent dans la France actuelle, les Romains, à partir du ve siècle, donnent le nom de Gaulois. Ceux-ci développent une riche civilisation. Mais en 52 av. J.-C., le général romain Jules César met fin à leur indépendance.

– 1200 à – 900 **La civilisation des Champs d'urnes.** Peut-être première période dite celtique, elle se caractérise par la pratique de l'incinération et la construction de places fortes (*oppida*).

– 900 à – 480 **Le premier âge du fer** (civilisation de Hallstatt). De nouveaux peuples, qui maîtrisent la métallurgie du fer, arrivent en Europe occidentale. Ces peuples, organisés en principautés guerrières, pratiquent l'inhumation comme en témoigne la riche sépulture de Vix (Côte d'or).

– 620 **La fondation de Marseille.** Des Grecs venus de Phocée (Asie Mineure) nouent des contacts commerciaux avec ceux qu'ils appellent les Celtes et fondent Marseille. Ils installent des comptoirs à Nice, Antibes, Agde et Arles.

v. – 450 **La naissance des Gaulois.** Aux ve et ive siècles, de nouveaux peuples celtes progressent vers la plaine du Pô et la France actuelle. Les Romains les appellent Galli ou Gaulois (« Celtes » ou « Galates » chez les Grecs). Rome est pillée en – 390.

v^e-iie siècles av. J.-C. **Le deuxième âge du fer** (civilisation de La Tène). C'est l'apogée de la Gaule celtique. Les Gaulois n'ont pas d'unité politique mais sont divisés en peuples (Éduens, Arvernes…). Les pratiques religieuses sont communes, de même que la langue. Ce sont d'excellents guerriers, mais aussi des agriculteurs et d'habiles artisans (armes et objets de fer très pur). Les échanges commerciaux sont nombreux, le long de grands axes routiers.

– 124 **La première installation romaine en Gaule.** Les Romains viennent aider Marseille contre le peuple gaulois des Salyens et fondent Aix-en-Provence (Aquae Sextiae). Ils soutiennent ensuite les Éduens contre les Arvernes, fondent Narbonne. Celle-ci devient la capitale de la province romaine, la Gaule narbonnaise.

– 58 à – 53 **La conquête de la Gaule.** De nouveau appelée par les Éduens qui craignent les Germains et les Helvètes, Rome saisit l'occasion pour conquérir le reste de la Gaule. Avec ses légions, Jules César mène victorieusement la « guerre des Gaules ».

– 52 **Le siège de Gergovie.** La révolte éclate contre l'occupant romain. Vercingétorix, jeune chef arverne, prend la tête du soulèvement. Il pratique la tactique de la terre brûlée pour priver les légions romaines de fourrage et de blé. En mai, Jules César renonce à prendre Gergovie, capitale arverne dans laquelle Vercingétorix s'est replié. La plupart des peuples gaulois s'unissent autour du chef arverne mais 15 000 cavaliers gaulois sont battus près de Dijon. Vercingétorix se replie sur l'oppidum voisin d'Alésia que César assiège victorieusement. L'année suivante, la Gaule est entièrement vaincue.

LE SIÈGE D'ALÉSIA

Les armées se font face

Situé sur le mont Auxois, près de Dijon, l'oppidum d'Alésia s'étend sur 2 km de long et 500 m de large. Vercingétorix s'y est replié après la défaite de sa cavalerie. Jules César décide d'isoler la place. Les Romains construisent une ceinture de fortifications continues de 16 km. Pour éviter l'encerclement, Vercingétorix tente, en vain, une sortie. Il reste à attendre l'armée de secours des tribus gauloises.

> L'emplacement du site d'Alésia a longtemps été objet de polémiques. L'étude des textes et l'archéologie confirment le mont Auxois près d'Alise-Sainte-Reine.

Le piège se referme

Pour résister à cette armée, César fait établir sur 21 km une seconde ligne de fortifications tournées vers l'extérieur. Cette double palissade, renforcée de camps retranchés et de tours, est précédée de pièges : double fossé,

Après deux mois de siège et pour sauver la vie de ses guerriers, Vercingétorix jette ses armes aux pieds de Jules César, en signe de soumission.

branchages taillés en pointe, pieux en quinconce, « hameçons » de fer enterrés.
Un mois passe… Les vivres se raréfient. L'armée de secours n'est pas là. Vercingétorix fait sortir les vieillards, les femmes et les enfants. César les laisse mourir de faim entre les camps.

La chute d'Alésia (– 52)

L'armée de secours arrive enfin. La première bataille de cavalerie tourne à l'avantage des Romains. Le lendemain, l'attaque de l'armée de secours se brise sur la zone piégée. Deux jours après la bataille est décisive et l'armée de secours anéantie…

La Gaule romaine

Après Alésia, la Gaule connaît deux siècles et demi durant la Paix romaine que ne troublent pas deux brèves révoltes isolées. Des villes sont construites ou aménagées, parées d'édifices spectaculaires. Sous l'administration romaine, les Gaulois, qui adoptent les mœurs et la langue de leurs vainqueurs, deviennent des Gallo-Romains.

- 43 **La fondation de Lyon.** Les Romains fondent Lugdunum (Lyon), au-dessus du confluent du Rhône et de la Saône, sur la colline de Fourvière consacrée à Lug, dieu celtique, magicien, guerrier et artisan.

- 27 **La réorganisation administrative de la Gaule.** La Gaule est divisée par l'empereur Auguste en quatre provinces : d'une part, la Narbonnaise, la province la plus anciennement conquise, est placée sous le contrôle du Sénat romain et administrée par un proconsul en résidence à Narbonne ; d'autre part, les Trois Gaules – l'Aquitaine (capitale : Saintes), la Lyonnaise (Lyon) et la Belgique (Reims) – ont chacune un gouverneur représentant direct de l'empereur. Lyon devient la capitale commune, métropole économique et religieuse. Un « Conseil des Trois Gaules » s'y réunit annuellement. Son rôle est religieux et politique ; il est un lien entre les représentants des soixante cités gauloises et Rome.

48 **Les Tables claudiennes.** Ces « tables », en réalité une plaque de bronze, reproduisent le discours de l'empereur Claude (né à Lyon). L'empereur offre la possibilité aux élites gauloises d'obtenir le droit romain complet, de siéger au Sénat à Rome, de pouvoir accéder aux plus hautes magistratures de l'empire.

68 - 70 **L'échec des révoltes.** Des révoltes, dirigées d'abord contre Néron puis profitant de la guerre civile dans l'Empire, échouent face au Conseil des Gaules. Celui-ci et la majorité des cités choisissent la paix et la fidélité à Rome. En effet, les villes qui se sont multipliées diffusent la culture romaine. Elles sont aussi des centres économiques prospères qui exportent les produits agricoles et artisanaux gaulois dans tout l'Empire.

177 **Les martyrs de Lyon.** Le christianisme est apparu en Gaule dès le Ier siècle et s'est diffusé peu à peu surtout dans les villes. Les chrétiens refusent de rendre un culte à Rome et à l'empereur. C'est à Lyon qu'ont lieu les premières persécutions contre eux. Quarante-huit personnes sont mises à mort, en prison ou dans l'amphithéâtre, parmi lesquelles l'évêque Plotin et une esclave, Blandine.

371 **L'évangélisation des campagnes.** Depuis 313, le christianisme est autorisé dans l'Empire. L'évêque de Tours, Martin, entreprend l'évangélisation des campagnes gallo-romaines.

380 **Le christianisme, seule religion autorisée dans l'Empire.** L'organisation mise en place par l'Église (diocèses et évêques) apparaît comme un élément de stabilité face aux guerres civiles et aux premières migrations qui affaiblissent l'empire romain.

LA CIVILISATION GALLO-ROMAINE

◼ Une civilisation urbaine

De nombreuses villes sont fondées ou transformées sur le modèle romain. Elles abritent de prestigieux édifices : forums, temples et autels, théâtres, amphithéâtres et cirques, thermes, arcs de triomphe, aqueducs... Ces villes, administrées par des notables gallo-romains, sont reliées entre elles par un réseau de voies romaines qui reprend le réseau gaulois. Dans les campagnes, de vastes domaines agricoles se constituent autour des *villae*.

◼ L'adoption du mode de vie romain

Nourriture et vêtements sont calqués sur ceux des Romains. Les gallo-romains accèdent à un nouveau confort dans les nombreux bains et thermes. Ils se distraient devant les combats de gladiateurs ou d'animaux. La langue orale gauloise s'efface devant le latin qui devient la langue parlée et écrite des élites.

◼ Les limites de la romanisation

Les villes sont plus romanisées que les campagnes. Sur le plan religieux, avant l'extension du christianisme, les dieux gaulois sont romanisés, mais gardent parfois leur personnalité propre comme la déesse Épona. Mercure est accompagné d'animaux « gaulois » tels le coq, la chèvre, la tortue.

> La civilisation gallo-romaine repose sur la rencontre de deux riches cultures et prend la forme d'une fusion entre les modes de vie gaulois et romain.

Le théâtre d'Orange, édifié sous l'empereur Auguste, était le plus beau de toute la Gaule. Il pouvait accueillir 10 000 spectateurs.

Le Pont du Gard est l'élément d'un aqueduc qui amenait à Nîmes des eaux de source situées à 30 km. Il traverse la vallée du Gardon à 48 m de hauteur et a été construit entre 40 et 50.

Les grandes migrations

À partir du IIIe siècle, des peuples venus de l'est et que les Romains appellent « barbares » pénètrent en Gaule. Progressivement, les Alamans, les Francs, les Wisigoths… eux-mêmes poussés par les Huns, détruisent l'ordre romain. Au Ve siècle, ces « barbares », qui servent parfois d'auxiliaires dans l'armée romaine, constituent des royaumes indépendants.

253   **Le franchissement du *limes*.** Depuis plusieurs décennies, le *limes*, la frontière de l'Empire romain, est franchie par des incursions successives de Barbares. En 253, les Alamans atteignent la Seine puis le Rhône et pillent Bourges et Clermont en 256.

275   **La poussée germanique.** Un temps repoussés, les Alamans et les Francs, peuples germains, envahissent la Gaule et pillent plus de 70 villes. Le pays est aussi ravagé par des bandes errantes de paysans ruinés, les Bagaudes.

IVe siècle   **Les traités « d'hospitalité ».** Rome accorde des terres aux Barbares dont certains s'engagent dans l'armée romaine. Ils défendent alors l'Empire contre d'autres incursions.

406   **La percée décisive.** Une concentration de Barbares jamais vue jusque-là, avec femmes, enfants, chariots et bétail, franchit le Rhin gelé le 31 décembre, près de Mayence. Ils fuient devant de redoutables envahisseurs venus de l'est, les Huns. Les Vandales se dirigent vers l'Afrique, les Alains s'installent en Aquitaine, les Burgondes dans la vallée du Rhône, les Alamans en Alsace, les Francs occupent la rive gauche du Rhin. Les Wisigoths, après avoir pris Rome en 410, établissent autour de Toulouse le premier État barbare sur le sol gaulois en 416.

431   **Le premier royaume franc en Gaule.** Des tribus franques, les Francs saliens du roi, s'installent en Gaule Belgique près de Tournai, après un traité de fédération entre leur roi Clodion le Chevelu et le romain Aetius. Ils combattent désormais pour Rome.

451   **La défaite d'Attila.** Les Huns, commandés par Attila, franchissent le Rhin et détruisent Metz et Reims. Ils renoncent à prendre Paris, dont la défense est organisée par Geneviève, une riche gallo-romaine, mais assiègent Orléans. Attila recule devant une armée dirigée par Aetius qui comprend des éléments romains mais aussi des fédérés germaniques (Burgondes, Alains, Francs et Wisigoths). Les Huns sont battus aux Champs catalauniques près de Troyes ou de Châlons-en-Champagne ; ils font encore quelques incursions en Italie puis se replient sur le Danube.

476   **La chute de l'Empire romain d'Occident.** Le germain Odoacre, chef de la garde impériale dépose, à Milan, le dernier empereur d'Occident (l'Empire est partagé en deux depuis 395). Mais, en Gaule, l'événement revêt peu d'importance : les rois barbares sont maitres du territoire depuis la mort d'Aetius en 454.

CARTE DES MIGRATIONS « BARBARES »

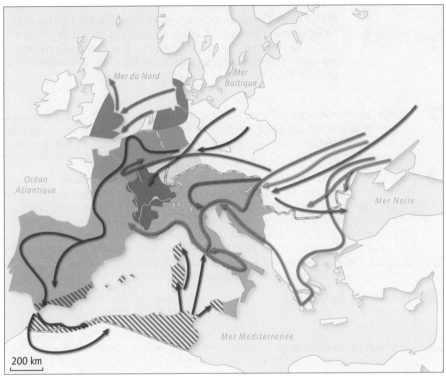

200 km

Limes, frontière de l'empire romain

Les royaumes barbares au Vᵉ siècle

- Wisigoths
- Ostrogoths
- Vandales
- Burgondes
- Anglo-Saxons
- Alamans
- Francs

Principales migrations barbares

- Wisigoths
- Ostrogoths
- Vandales
- Burgondes
- Anglo-Saxons
- Huns
- Avars

La poussée des Huns à l'est et l'attrait exercé par les richesses de la Gaule expliquent en partie le vaste mouvement de peuples qui se produit à la charnière de l'Antiquité et du Moyen Âge. « Grandes invasions » pour les historiens influencés par les auteurs latins chrétiens, ces transferts de population sont dénommés « migrations de peuples » surtout par les historiens de langue allemande.

Dans la réalité, on passe en deux siècles d'infiltrations progressives à des incursions plus massives. Elles s'accompagnent aussi d'un vaste mouvement de fusion romano-barbare.

La Gaule franque

Pacifiquement ou par la guerre, Clovis crée le royaume des Francs, fusion entre l'héritage gallo-romain et la civilisation germanique. Sa conversion au catholicisme, événement décisif de l'histoire nationale, lui vaut l'appui des évêques. À sa mort, son royaume, première ébauche théorique de la France, couvre presque l'étendue des Trois Gaules.

481 **Clovis, roi des Francs saliens.** Clovis Ier devient à 15 ans roi de l'un des royaumes francs implantés au nord-est de la Gaule et au-delà du Rhin. Il unifie ces royaumes en faisant exécuter les autres rois saliens ou rhénans, y compris les membres de sa famille.

486 **La victoire sur Syagrius.** Après des prises de villes et la victoire de Soissons contre Syagrius, « roi des Romains », maître d'une enclave gallo-romaine entre Meuse et Loire, Clovis contrôle toute la Gaule du nord. Une légende, celle du « vase de Soissons » accompagne cette victoire. Contrairement à la loi militaire du partage entre guerriers, Clovis réclame un vase liturgique à la demande de l'évêque de Reims, Rémi. Un guerrier s'y oppose et frappe le vase de sa hache ; Clovis rend cependant le vase à l'envoyé de Rémi. L'année suivante, lors d'une inspection générale, le roi se venge de l'affront en fendant de sa hache la tête du contestataire.

493 **Le mariage de Clovis.** Clovis épouse Clotilde, nièce du roi des Burgondes et princesse de foi catholique. Il s'allie ainsi aux Burgondes et s'attire la bienveillance des catholiques.

496 **La conversion de Clovis.** À Tolbiac, Clovis remporte la victoire sur un autre peuple barbare, les Alamans. La tradition veut qu'au cours de cette bataille, Clovis ait promis de se convertir si « le dieu de Clotilde » lui donnait la victoire. Le 25 décembre 498, à Reims, l'évêque Rémi baptise Clovis et 3 000 de ses guerriers.

507 **La victoire sur les Wisigoths.** Protecteur de l'Église des Gaules, Clovis entreprend, avec ses alliés burgondes, une expédition contre ses puissants voisins du sud, les Wisigoths. Ce sont aussi des catholiques mais hérétiques ariens : ils nient la trinité de dieu. À Vouillé, le roi Wisigoth Alaric II est tué. À Toulouse, capitale du royaume wisigoth, Clovis est accueilli en libérateur par les évêques : il a interdit le pillage des biens d'église. Le royaume franc s'étend jusqu'aux Pyrénées.

508 **La loi salique.** Clovis fait mettre par écrit en langue latine le droit coutumier franc qu'il adoucit par sa nouvelle foi chrétienne.

511 **La mort de Clovis.** Au premier concile national d'Orléans, Clovis réunit les évêques de Gaule et se présente en véritable maître du royaume : il leur fait admettre qu'aucun laïc ne pourra être élu sans son accord. Le 27 novembre, Clovis meurt dans la ville qu'il a choisie comme « siège du royaume », autrement dit comme capitale : Paris, dont la situation est exceptionnelle. Avec une île renforcée de doubles fortifications, la ville se trouve sur une voie fluviale est-ouest, à mi-chemin entre ses terres du nord et ses récentes conquêtes du sud.

LE ROYAUME DE CLOVIS

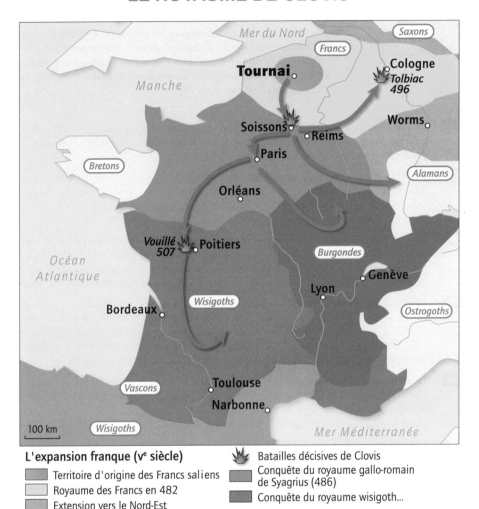

L'expansion franque (Vᵉ siècle)

- Territoire d'origine des Francs saliens
- Royaume des Francs en 482
- Extension vers le Nord-Est

Les conquêtes de Clovis

➡️ Campagnes de Clovis

🔱 Batailles décisives de Clovis

- Conquête du royaume gallo-romain de Syagrius (486)
- Conquête du royaume wisigoth...
- ... sauf le Languedoc et la péninsule Ibérique
- Alliance avec les Burgondes par le mariage

Par des alliances ou par des conquêtes, Clovis constitue un royaume qui occupe la majeure partie de la Gaule. Les populations franques et gallo-romaines fusionnent progressivement, une langue commune est adoptée.

Clovis est baptisé entre 496 et 506. Il devient le premier roi catholique d'un royaume désormais chrétien.

Les Mérovingiens

Les descendants de Clovis sont des Mérovingiens. Ils tirent leur nom de son supposé grand-père : Mérovée. Le royaume franc connaît une succession de divisions, de guerres civiles mais aussi de retours à l'unité comme sous Dagobert. Les derniers Mérovingiens sont peu à peu supplantés par leurs intendants ou maires du Palais, Charles Martel puis Pépin le Bref.

511 **Le partage du royaume.** Les fils de Clovis se partagent le royaume selon la coutume franque. Trois royaumes se distinguent peu à peu, la Neustrie, l'Austrasie, la Bourgogne parallèlement à des réunifications éphémères.

567 - 613 **Des guerres civiles sans merci.** Elles sont marquées par la lutte entre Brunehaut, fille du roi des Wisigoths et reine d'Austrasie, et Frédégonde, reine de Neustrie. Celle-ci meurt en 597 ; sa rivale est livrée à Clotaire II de Neustrie et mise à mort en 613. Le royaume franc est réunifié.

629 **Le roi Dagobert.** Fils de Clotaire II, arrière-petit fils de Clovis, Dagobert Ier règne aussi sur l'ensemble du royaume franc. Il est aidé de son trésorier, l'évêque Éloi. À l'échelle locale, l'administration et la justice sont assurées par des comtes ; face à eux, les évêques qui ne peuvent être jugés que par des pairs, constituent une autorité rivale.

639 **Les maires du palais et les « rois fainéants ».** À la mort de Dagobert, le royaume est de nouveau partagé. Le pouvoir effectif se concentre entre les mains des maires du palais. Les rois mérovingiens sont qualifiés de manière caricaturale, en 840, de « rois fainéants » par Eginhard, biographe de Charlemagne, pour justifier le remplacement des Mérovingiens par la dynastie de Charlemagne, les Carolingiens.

679 **La prise de pouvoir d'un maire du palais.** Pépin II de Herstal, fils de Pépin 1er de Landen, prend le pouvoir en Austrasie puis en Neustrie, gouverne seul mais sans détrôner le roi. Il impose l'autorité franque aux Alamans et aux Frisons et soutient les premières missions d'évangélisation en Germanie.

716 **La puissance de Charles Martel.** Ce fils illégitime de Pépin de Herstal maîtrise les révoltes et l'invasion saxonne. Devenu maire du palais, il se crée un réseau de fidèles en distribuant des terres royales et des terres d'Église. Après avoir soumis de nouvelles révoltes et pris la Bavière, il soumet le royaume d'Aquitaine que s'était constitué le comte Eudes.

732 **La bataille de Poitiers.** Charles Martel arrête près de Poitiers des incursions arabes venues d'Espagne.

751 **La fin de la dynastie mérovingienne.** Pépin III le Bref, fils de Charles Martel, soutenu par le pape Zacharie, se fait élire roi des Francs à Soissons par les grands du royaume et sacrer par l'évêque Boniface. Le dernier roi mérovingien, Childéric III et son fils Thierry sont tondus et enfermés dans un monastère.

LA BATAILLE DE POITIERS

■ Les adversaires

Les Arabes, maîtres de l'Espagne depuis 711, ont fait une incursion en Gaule en 721. En 731, le wali (gouverneur) Abd al-Rahmân ravage la Gascogne, brûle Bordeaux, écrase sur la Dordogne les troupes d'Eudes d'Aquitaine qui demande alors secours à Charles. Les Arabes font route vers le nord pour aller piller Saint-Martin-de-Tours, le plus riche monastère de toute la Gaule.

■ Deux tactiques opposées

À 25 km au nord de Poitiers, Abd al-Rahmân se trouve face à Charles Martel. Sept jours durant, les armées ne se livrent qu'à de petites escarmouches.
Les cavaliers musulmans, armés d'un bouclier rond et d'un arc, pratiquent l'attaque par vagues successives et le repli rapide. Les fantassins francs, armés d'un bouclier allongé, de la francisque et d'une épée, forment une masse compacte qui combat au coude à coude.

■ L'affrontement

Le 25 octobre 732, premier jour du ramadan, les cavaliers musulmans se heurtent au « mur immobile » hérissé d'épées tournoyantes des Francs. La tradition rapporte que Charles « martelle » à merveille de sa masse d'armes. La nuit arrête l'action… Au point du jour, l'étonnement des Francs est grand quand ils se rendent compte que le camp musulman a été évacué dans la nuit : Abd al-Rahmân a été tué dans un assaut.

La victoire de Poitiers ne donne pas un coup d'arrêt à l'expansion musulmane qui se détourne vers le Languedoc. Mais elle offre à Charles un prestige militaire extra-ordinaire. Elle est aussi célébrée par un clerc espagnol du VIIIe siècle comme la victoire des « europeenses » chrétiens (les « Européens ») sur les musulmans.

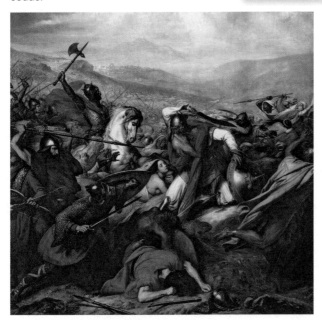

Ce tableau de Charles Steuben, peint en 1837, s'inscrit dans le contexte de la conquête de l'Algérie. Charles Martel y apparaît comme le sauveur de la chrétienté face aux hordes musulmanes.
La IIIe République, à partir de 1871, reprend le fait d'armes pour magnifier la victoire des Français contre des envahisseurs.

Charlemagne et l'empire carolingien

Le royaume dont héritent les descendants de Charles Martel reste un ensemble fragile à la merci de révoltes locales. Au cours de son règne, Charlemagne renforce la cohésion d'un empire qu'il accroît considérablement par des chevauchées annuelles et qu'il unifie sous sa seule autorité. À partir d'Aix-la-Chapelle, devenue capitale de l'empire, se développe une brillante culture.

754 L'instauration de la royauté « sacrée ». À Saint-Denis, Pépin le Bref et ses fils reçoivent l'onction sainte du pape Étienne II. Le pape « défend sous peine d'excommunication d'oser jamais choisir un roi d'un autre sang ». Ainsi est créée la monarchie « sacrée ». Pépin devient le protecteur de Rome et de la papauté.

768 La mort de Pépin le Bref. Pépin le Bref meurt après avoir chassé les Arabes au-delà des Pyrénées (759) et soumis l'Aquitaine (768). Il a aussi partagé le royaume entre ses deux fils Charles et Carloman.

771 Charlemagne, roi des Francs. Carloman meurt à 20 ans, en 771. Charles devient seul roi. À 30 ans, Charlemagne (du latin *magnus*, le grand) est un homme robuste. Il porte une moustache et non la « barbe fleurie » de sa légende.

773 - 775 La conquête du royaume des Lombards. Charlemagne intervient en Italie à la demande du pape menacé par les Lombards. Vainqueur, il se proclame « roi des Francs et des Lombards ».

778 Roncevaux. Appelé par un chef musulman en lutte contre son émir, Charlemagne entre en Espagne dans l'espoir d'étendre la puissance franque. Mais une révolte sur le Rhin l'oblige à battre en retraite. Il repasse les Pyrénées à Roncevaux.

780 L'utilisation d'une nouvelle écriture. Dans les ateliers de copistes des monastères apparaît une nouvelle écriture appelée « caroline » en l'honneur de Charlemagne. Petite et régulière, elle s'impose dans tout l'Occident.

786 La soumission de la Saxe. Commencée dix ans plus tôt, la conquête de la Saxe païenne s'accompagne d'une occupation franque très dure avec baptêmes forcés, prises d'otages et exécutions sommaires. Toute atteinte à la religion chrétienne est punie de mort.

789 La renaissance carolingienne. Charlemagne favorise les lettrés, encourage l'ouverture d'écoles monastiques De nombreux bâtiments de culte et des palais sont construits.

800 Charlemagne, empereur (25 décembre). S'étant rendu en Italie à la demande du pape, Charlemagne est sacré empereur des Romains à Rome. Son accession au titre impérial fait du roi des Francs l'élu de Dieu.

Pour administrer son empire, Charlemagne s'appuie sur les élites locales. Il fait mettre par écrit les lois nationales, légifère par capitulaires, désigne des missi dominici (envoyés du maître) pour des missions particulières. Il relance la monnaie royale et améliore les moyens de communication.

814 La mort de Charlemagne. Son fils Louis le Pieux lui succède.

LA BATAILLE DE RONCEVAUX

Dans cette miniature du xvᵉ siècle, Charlemagne se recueille devant la dépouille de Roland auprès duquel demeurent son célèbre cor et Durandal, sa fameuse épée.

◼ Un cadre propice aux embuscades

Charlemagne assiège Saragosse depuis deux mois quand il apprend que les Saxons pillent les rives du Rhin. Il prend le chemin du Nord. Au passage, s'estimant mal reçu par les Basques pourtant chrétiens, il détruit les remparts de Pampelune, leur principale place forte. Pour franchir le col de Roncevaux, la voie serpente sur 3 km au milieu des bois, avec sur le côté droit un profond ravin.

◼ Un ennemi invisible

Charlemagne passe le col avec le gros de la troupe. L'arrière-garde alourdie par le butin et les otages musulmans est soudain clouée sur place par une pluie de javelots. Les assaillants délivrent les otages, massacrent leurs gardiens et se dispersent.
Alerté par le son du cor, Charlemagne fait volte-face, mais la pente et les cuirasses freinent la mobilité de son armée. Revenu sur le col, il ne peut que faire relever les cadavres dont celui de son neveu.

Des Vascons (Basques), furieux de l'attaque contre Pampelune, ont organisé l'embuscade.

◼ Et Roland ?

Absent des récits écrits de 801 et 829, Roland, « préfet de la marche bretonne » et neveu de Charlemagne, n'est mentionné dans un texte d'Éginhard qu'en 836. Il devient rapidement le héros des chansons colportées par les jongleurs, les Vascons se muant en sarrasins (musulmans). Au xᵉ siècle, l'histoire s'enrichit de la belle Aude aux bras blancs et du traître Ganelon. Au xiiᵉ, *La Chanson de Roland* est mise par écrit.

> Dans la réalité, Roncevaux n'est qu'une funeste péripétie qu'Eginhard rapporte en la minimisant.
> Dans la chanson, Roland incarne le chevalier idéal se sacrifiant pour une noble cause. Il inspire, pour près de cinq siècles, d'autres comportements héroïques, ceux des croisés notamment.

La fin des Carolingiens

Les rivalités entre les petits-fils de Charlemagne provoquent la division de l'empire et dessinent les frontières de nouveaux royaumes. En 843, par le traité de Verdun, naît une *Francia occidentalis* matrice de la France d'aujourd'hui. En même temps, la pression de l'aristocratie et le choc des invasions normandes affaiblissent la puissance royale et amènent la fin de la dynastie carolingienne.

817 **L'unité de l'empire.** Louis le Pieux établit l'indivisibilité de l'empire et proclame empereur son fils Lothaire, les deux cadets, Pépin et Louis, devenant des rois soumis à l'autorité de leur aîné.

830 **La révolte contre l'empereur.** Louis le Pieux attribue la dignité impériale à Charles, dernier né en 823 de son remariage avec Judith de Bavière. Les nobles provoquent une insurrection. Ils sont rejoints par Pépin et Louis et par Lothaire qui fait déposer son père par une assemblée d'évêques en 833.

840 **La guerre civile.** Louis le Pieux meurt après dix ans de troubles. Sa mort déclenche une guerre de succession entre Lothaire, Louis et Charles (Pépin est mort en 838).

843 **Le traité de Verdun.** Louis et Charles font alliance et cela amène Lothaire à accepter le partage de l'empire.

845 **Les Vikings, nouveaux envahisseurs.** Nantes, Rouen et Toulouse ont déjà été pillées. À la tête d'une puissante flotte, le chef viking Ragnard prend Paris le dimanche de Pâques. La mobilité des envahisseurs est extrême : leurs bateaux à fond plat naviguent sur les fleuves comme en haute mer. Charles le Chauve achète leur départ contre une rançon.

884 **La reconfiguration du pouvoir.** À la mort de Charles le Chauve (en 877) se succèdent brièvement Louis le Bègue (mort en 879) et ses fils Louis III (mort en 882) et Carloman (mort en 884). Charles (le Simple), fils posthume de Charles le Chauve, a cinq ans, et les puissants du royaume offrent le trône au fils de Louis le Germanique : Charles le Gros.

885 **Le quatrième siège de Paris.** Les Vikings assiègent de nouveau Paris avec 700 bateaux et 20 000 hommes. Le comte Eudes conduit la résistance. Au bout d'un an, moyennant une rançon, les Vikings lèvent le siège. Les nobles, qui ont déposé Charles le Gros pour incapacité, élisent roi Eudes qui n'est pas un Carolingien.

911 **La cession de la Normandie.** Charles le Simple, revenu au pouvoir à la mort d'Eudes en 898, traite avec le chef danois Rollon. Il cède aux Normands (hommes du Nord) la Basse-Seine, qu'ils contrôlent depuis 896.

922 **La fin des Carolingiens.** Commandés par Robert, frère d'Eudes, les nobles se soulèvent et le proclament roi. Robert Ier meurt en 923 dans une bataille contre Charles le Simple. C'est le gendre de Robert Ier, Raoul de Bourgogne, que les grands nomment roi. Il n'a pas d'enfant… En 936, Hugues, fils de Robert Ier, fait élire roi Louis IV, le fils de Charles le Simple, et le laisse régner contre l'attribution de titres importants. Le fils de Louis IV, Lothaire, règne de 984 à 986 : c'est le dernier roi carolingien.

LE PARTAGE DE VERDUN

Partage lors du traité de Verdun

Francia Occidentalis de Charles le Chauve

Royaume de Lothaire

Francia Orientalis de Louis le Germanique

États de l'Église

En 841, Charles et Louis battent Lothaire, qui veut succéder à son père dans la dignité impériale. En 842, à Strasbourg, devant leurs armées, ils font, en langues romane et germanique, le serment de se prêter mutuellement assistance contre Lothaire, qui accepte une négociation. Ces serments constituent le plus ancien texte français conservé et, symboliquement, l'acte de naissance de la langue française. Au terme d'un an de tractations, un partage est établi, connu sous le nom de traité de Verdun. En tant qu'aîné, Lothaire choisit le premier : la partie médiane le satisfait car il peut se parer du titre impérial. À Charles le Chauve revient la *Francia Occidentalis* et à Louis, la *Francia Orientalis*.

Les premiers Capétiens

Les premiers Capétiens, dont le domaine royal s'étend de Compiègne à Orléans, paraissent n'avoir qu'une faible autorité face aux grands seigneurs. Mais dans la société féodale, le roi, suzerain suprême, coiffe le réseau des fidélités. En associant de leur vivant leur fils aîné au trône, ces Capétiens rendent héréditaire une monarchie qui va diriger la France pendant neuf siècles.

987 **L'élection d'Hugues Capet.** À la mort de Louis V, dernier Carolingien, les seigneurs placent sur le trône un descendant d'Eudes et de Robert Ier, un abbé laïc, Hugues, surnommé Capet peut-être en raison de la « chape » (le manteau) de saint Martin conservée dans l'abbaye qu'il administre près de Tours. Avec le soutien de l'archevêque de Reims, il est élu roi le 1er juin et sacré le 3 juillet. Le 25 décembre, Hugues fait élire et sacrer par anticipation son fils Robert le Pieux. Jusqu'à Philippe Auguste, ses successeurs feront de même.

991 **La victoire sur Charles de Lorraine.** Ce dernier prétendant carolingien tient tête aux troupes d'Hugues Capet. Mais il est trahi par Arnoul, évêque de Laon et livré au roi. Il meurt l'année suivante.

1002 - 1016 **La conquête de la Bourgogne.** Comme son père, Hugues Capet, mort en 996, Robert II le Pieux, s'efforce d'agrandir le domaine royal. Il conquiert la Bourgogne mais rencontre aussi, comme en Flandre, des succès mitigés. Beaucoup de grands seigneurs, plus puissants, ne lui obéissent pas.

1020 - 1030 **La vision chrétienne de la société.** Selon l'évêque Adalbéron de Laon, « la maison de Dieu est divisée en trois : les uns prient, les autres combattent, les autres, enfin, travaillent ». Cette conception de la société va durer plusieurs siècles. Chacun doit ainsi rester à sa place pour ne pas troubler l'harmonie voulue par Dieu, les paysans étant soumis aux guerriers et les guerriers au clergé.
Parallèlement, au XIe siècle, se met en place la société féodale, fondée sur la terre (le fief) et sur les liens interpersonnels. Le suzerain remet un fief au vassal qui lui jure fidélité. Le roi est le « suzerain des suzerains ».

1066 **Guillaume de Normandie, vassal du roi de France et roi d'Angleterre.** Guillaume de Normandie, après une minutieuse préparation dont témoigne la tapisserie de Bayeux, entreprend la conquête de l'Angleterre. Vainqueur à Hastings, il se fait sacrer roi à Westminster. Il demeure toutefois le vassal du roi de France pour le duché de Normandie.

1094 - 1078 **La prise du Vexin français.** Le roi Philippe Ier s'empare du Vexin français mais il a échoué dans sa tentative contre la Flandre. Il doit lutter contre des grands seigneurs révoltés et surveiller son vassal normand. Il est par ailleurs le premier roi thaumaturge.

1095 **L'appel à la croisade.** Le pape Urbain II a convoqué à Clermont le clergé et les nobles. Alors que les Turcs, musulmans, sont maîtres de Jérusalem depuis 1078, le pape demande aux chevaliers de prendre la route de Jérusalem pour délivrer le tombeau du Christ et promet aux volontaires la rémission totale de leurs péchés.

LA PREMIÈRE CROISADE

■ La double croisade

L'appel à la croisade du pape Urbain II est entendu. Dès les premiers mois de 1096, Pierre l'Ermite, prédicateur d'Amiens, s'élance vers Jérusalem à la tête d'une imposante foule de gens du peuple.

Les barons (seigneurs) conduits par Godefroy de Bouillon prennent la route vers la mi-août.

■ Une route semée d'embûches

En octobre 1096, la croisade des petites gens de Pierre l'Ermite est massacrée par les Turcs sur le Bosphore.

La croisade des barons, regroupée en avril 1096 à Constantinople, bat les Turcs à Dorylée le 1er juillet 1097. En avril 1098, après sept mois de siège, elle s'empare d'Antioche, où elle est à son tour encerclée en juin. Le 7 juin 1099, les croisés arrivent à Jérusalem.

La croisade des petites gens s'accompagne de nombreux troubles sur le parcours. À Bourges, certains croisés, accusés de vols, sont arrêtés et exécutés.

Plus qu'une aventure militaire de jeunes chevaliers, la croisade répond à une soif de pèlerinage. Elle est aussi un moyen pour le pape d'affirmer son autorité sur la chrétienté.

■ La prise de Jérusalem

Le siège est difficile. Les croisés manquent de vivres. Le 8 juillet, ils organisent une procession autour de la ville. Le vendredi 15 juillet, à 15 heures, ils pénètrent dans Jérusalem et massacrent des milliers de musulmans ainsi que des juifs. Le 23 juillet, Godefroy de Bouillon est élu avoué du Saint-Sépulcre. Un royaume de Jérusalem est fondé.

Ce tableau de 1847 d'Émile Signol montre les croisés devant la mosquée du Rocher. Épuisés, ils rendent grâce à Dieu et reçoivent les remerciements des chrétiens de la ville. À l'arrière-plan, les combats continuent.

L'affirmation des Capétiens : Louis VI et Louis VII

Les règnes de Louis VI le Gros et de Louis VII marquent une étape décisive dans l'affermissement de la monarchie capétienne. Après être devenus maîtres de l'Île-de-France, ils étendent patiemment leur emprise sur le royaume. Le nombre d'actes émanant de la chancellerie royale est significatif : 171 pour le règne de Philippe Ier (48 ans), 359 pour Louis VI (29 ans) et 800 pour Louis VII (43 ans).

1108 **La mise à la raison de grands seigneurs.** Louis VI, fils de Philippe Ier, fait condamner par sa cour le seigneur de Motmorency qui persécute l'abbaye de Saint-Denis et il ravage ses terres pour le forcer à respecter ce jugement.

1121 **L'affirmation d'un royaume de France.** Dans une lettre au pape, Louis VI se présente comme « roi de France » et non plus « roi des Francs ». Il s'agit alors surtout de l'Île-de-France et des régions environnantes.

1124 **La victoire de la coalition anglo-germanique.** Aidé du roi d'Angleterre Henri Ier, l'empereur germanique Henri V menace de détruire Reims et d'envahir le royaume. Louis VI convoque les nobles du royaume contre les « Teutons ». Ils sont nombreux à se présenter contre « l'envahisseur » : le duc de Bourgogne, le comte de Flandres, le duc d'Aquitaine, les comtes de Bretagne et d'Anjou… Impressionné par une telle mobilisation, Henri V fait machine arrière.

1130 **L'abbatiale de Saint-Denis.** Cette date marque le début de la construction de la façade et du chœur de la nouvelle abbatiale de Saint-Denis conçue par l'abbé Suger.

1132 **La supériorité de la justice royale.** Pour la première fois, la cour royale intervient en appel dans le jugement entre l'évêque d'Arras et un seigneur du comté de Flandre.

1137 **Le mariage de Louis VII et d'Aliénor d'Aquitaine.** L'année où il monte sur le trône, Louis VII épouse Aliénor, l'héritière du duché d'Aquitaine. Au nom de sa femme, il lui revient d'assurer le gouvernement de ces vastes terres.

1147 **La deuxième croisade.** Elle est menée par l'empereur Conrad III et par le roi Louis VII, accompagné de sa femme Aliénor. La croisade s'achève sur un échec total.

1163 **La cathédrale de Paris.** La première pierre de la cathédrale de Paris est posée à l'initiative de Maurice de Sully, évêque de Paris.

1152 **La répudiation d'Aliénor d'Aquitaine.** Louis VII obtient l'annulation de son mariage avec Aliénor d'Aquitaine qui ne lui a pas donné d'héritier. Deux mois plus tard, Aliénor (30 ans) épouse Henri Plantagenet (19 ans). Ce dernier est à la fois comte d'Anjou, du Maine, de Touraine, et duc de Normandie. Dans les faits, il contrôle près de la moitié du royaume de France. Or en 1154, il devient roi d'Angleterre !

1180 **La mort de Louis VII.** Le roi n'a pas réussi à contenir l'expansion anglaise et il est menacé par l'empereur germanique Frédéric Barberousse. Cependant, l'autorité royale s'est renforcée grâce à Suger et aux légistes.

LA FRANCE ET L'ANGLETERRE AU MILIEU DU XIIᵉ SIÈCLE

■ Les Plantagenêt, successeurs de Guillaume le Conquérant

En 1164, la couronne d'Angleterre échoit au fils de la comtesse Mathilde, petite fille de Guillaume le Conquérant et du puissant comte d'Anjou, Geoffroy Plantagenêt. Le nouveau roi, Henri II, possède aussi une partie de la France. Son mariage avec Aliénor, répudiée par Louis VII, lui permet d'ajouter l'Aquitaine. Henri II contrôle aussi la Bretagne.

■ Un royaume bien administré

Guillaume le Conquérant a introduit le système féodal en Angleterre et les redevances sur chaque fief sont consignées dans le *Domesday book*. Henri II crée les *sherifs*, chargés de faire respecter la justice du roi et de lever les impôts ; il organise l'administration royale et lutte contre les oppositions telle celle de Thomas Becket, archevêque de Cantorbéry, assassiné en 1170. En 1181, le roi instaure un service militaire obligatoire.

■ L'autorité du roi de France

La puissance du roi de France est moindre mais successivement Louis VI et Louis VII, conseillés par l'abbé Suger, consolident la royauté face aux seigneurs trop rebelles. De plus, pour leurs possessions françaises, les Plantagenêt sont vassaux du roi de France.

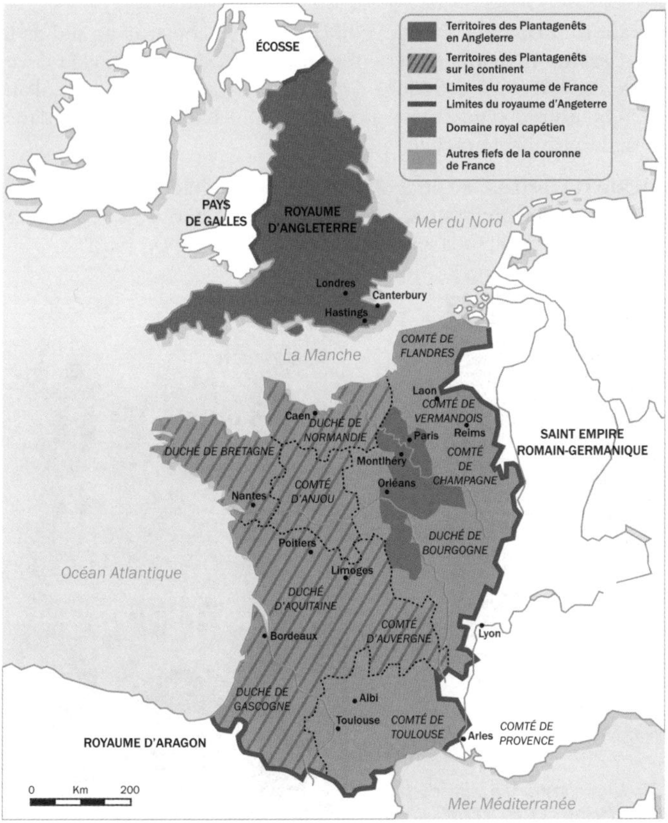

Au XIIᵉ siècle, les rois Capétiens accroissent leur prestige et leur autorité ; mais à partir d'Henri II Plantagenêt, les rois d'Angleterre possèdent plus de la moitié du territoire français. Ils doivent cependant prêter hommage au roi de France pour ces fiefs.

Territoires des Plantagenêts en Angleterre
Territoires des Plantagenêts sur le continent
Limites du royaume de France
Limites du royaume d'Angleterre
Domaine royal capétien
Autres fiefs de la couronne de France

ÉCOSSE
PAYS DE GALLES
ROYAUME D'ANGLETERRE
Mer du Nord
Londres
Canterbury
Hastings
La Manche
COMTÉ DE FLANDRES
Laon
COMTÉ DE VERMANDOIS
Caen
DUCHÉ DE NORMANDIE
Paris
Reims
DUCHÉ DE BRETAGNE
Monthéry
COMTÉ DE CHAMPAGNE
Nantes
COMTÉ D'ANJOU
Orléans
SAINT EMPIRE ROMAIN-GERMANIQUE
Poitiers
DUCHÉ DE BOURGOGNE
Océan Atlantique
Limoges
DUCHÉ D'AQUITAINE
COMTÉ D'AUVERGNE
Lyon
Bordeaux
DUCHÉ DE GASCOGNE
Albi
Toulouse
COMTÉ DE TOULOUSE
Arles
COMTÉ DE PROVENCE
ROYAUME D'ARAGON
Mer Méditerranée

0   Km   200

Les possessions des Capétiens et des Plantagenêts au milieu du XIIᵉ siècle

HISTOIRE ANCIENNE

HISTOIRE MÉDIÉVALE

HISTOIRE MODERNE

HISTOIRE CONTEMPORAINE

Le temps des cathédrales

La cathédrale est l'église où siège l'évêque (*cathedra* : siège à dossier en latin). Les cathédrales existent depuis la création des diocèses à la fin de l'Antiquité. Mais c'est au XIIᵉ siècle et dans la première moitié du XIIIᵉ que la plupart des grandes cathédrales encore existantes sont érigées, témoignages de l'art gothique.

1132 - 1144   **La reconstruction de Saint-Denis**. La façade et le chœur de l'abbatiale sont reconstruits en style gothique par l'abbé Suger.

1145   **La cathédrale de Chartres**. Le portail royal et son ensemble sculpté sont achevés en 1145. La cathédrale actuelle, considérée comme la plus représentative de l'art gothique, est construite au début du XIIIᵉ siècle.

1163 - 1260   **Notre-Dame de Paris**. La construction est lancée par l'évêque Maurice de Sully et dure plusieurs siècles. L'édifice présente ainsi les différentes évolutions de l'art gothique. Elle est l'une des plus grandes cathédrales d'occident.

1192 - 1270   **La cathédrale de Bourges**. Premier édifice gothique construit au sud de la Loire, elle est selon l'UNESCO d'une « très grande importance dans le développement de l'architecture gothique… », d'une « beauté frappante, résultant d'une gestion magistrale d'un espace aux proportions harmonieuses et d'une décoration de la plus haute qualité »

1211 - 1311   **La cathédrale de Reims**. Réalisation majeure de l'architecture gothique, la cathédrale est aussi célèbre pour sa statuaire comptant plus de 2 000 statues. Elle est le lieu du sacre de tous les rois de France (sauf sept).

Cet « ange au sourire » a été sculpté au portail nord de la façade occidentale de la cathédrale de Reims, entre 1236 et 1245. Son surnom date des destructions de la Première Guerre mondiale. Le visage est reconstitué.

La cathédrale d'Amiens, construite à partir de 1220, est, par ses volumes intérieurs (200 000 m³), la plus vaste cathédrale de France.

LE TRIOPHE DE L'ART GOTHIQUE

▌▐ L'utilisation de la croisée d'ogives

À partir des années 1130, l'art gothique résulte de l'association volontaire de techniques ponctuellement utilisées dans des édifices romans antérieurs. Il s'agit de l'arc brisé, de l'arc-boutant et de la croisée d'ogives qui libèrent les murs de la poussée de la voûte en la répartissant sur les piliers. Cela permet d'amincir murs et colonnes, d'élargir et d'élever nefs et bas-côtés et d'agrandir les ouvertures.

▌▐ Une nouvelle vision du monde

Dans l'harmonie des cathédrales, ce n'est plus la terre qui s'élève vers le ciel, mais le ciel qui descend sur terre grâce à la lumière.

À Chartres, 164 baies vitrées inondent l'intérieur de l'édifice d'une lumière colorée par les teintes des vitraux. Le Dieu des cathédrales devient un Dieu à visage d'homme dont les traits ont été individualisés.

▌▐ Les grandes cathédrales

Elles apparaissent au cœur du royaume, car l'art gothique est aussi un art politique à la gloire du roi de France. Entre 1160 et 1220 sont construites les cathédrales de Paris, de Sens et de Chartres. Vers le milieu du XIIIe siècle, l'art gothique atteint sa maturité avec celles de Bourges, de Reims et d'Amiens. Les architectes élèvent des nefs de plus en plus hautes : 37 m à Bourges, 38 à Reims et 42 à Amiens. On atteint 48 m à Beauvais, mais la voûte s'effondre en 1284.

> Bibles de pierre, les cathédrales expriment la revalorisation de la nature et du corps comme œuvres de Dieu, dignes d'admiration et de représentation.
> Prouesses techniques, elles affirment de nouveaux liens entre l'œuvre d'art et la fierté des élites ecclésiastiques urbaines.

Cette miniature du XVe siècle montre un roi de France en visite sur le chantier d'une cathédrale. La construction d'une cathédrale est un art de « professionnels », de « compagnons ».

Philippe Auguste, le roi conquérant

En quarante-trois ans de règne, Philippe II affermit l'autorité royale en contenant les grands féodaux et en créant avec les baillis les rouages d'une administration « moderne ». Il fait de Paris la capitale de la France, n'a de cesse d'affaiblir le roi d'Angleterre et remporte à Bouvines une éclatante victoire. Quand il meurt, l'étendue du domaine royal a été multipliée par cinq.

1180 **L'avènement de Philippe Auguste.** Philippe Auguste, déjà sacré en 1179, devient roi à 15 ans, à la mort de Louis VII. Il allie rapidité de jugement, justesse de raisonnement et goût de l'intrigue. Il veut affirmer la foi chrétienne et renforcer la monarchie capétienne.

1187 **L'ingérence dans les affaires anglaises.** Philippe Auguste apporte son soutien à Richard Cœur de Lion qui lutte depuis ses possessions sur le territoire français contre son père Henri II Plantagenêt, roi d'Angleterre.

1189 **La troisième croisade.** Philippe Auguste part pour la troisième croisade avec Richard Cœur de Lion devenu roi d'Angleterre.
Après la prise de Saint-Jean-d'Acre en 1191, la désunion s'installe. Richard continue vers Jérusalem. Philippe Auguste revient en France et pousse Jean sans Terre, frère de Richard, à s'emparer du trône anglais.

1194 **La défaite de Fréteval.** À son retour de croisade, Richard Cœur de Lion bat Philippe Auguste à Fréteval et édifie sur la Seine la forteresse de Château-Gaillard pour protéger la Normandie. Philippe Auguste, qui a perdu une partie de ses archives jusque-là itinérantes (le sceau royal et la comptabilité du domaine), décide de les abriter dans son palais parisien où elles forment le noyau des futures Archives de France.

1202 **La condamnation de Jean sans Terre.** À la mort de Richard (1199), Jean sans Terre devient roi d'Angleterre. Or il enlève la fiancée d'un de ses vassaux français. La Cour de Philippe Auguste prononce la confiscation des biens de Jean « vassal félon ».

1204 **La conquête de la Normandie.** Après un siège de huit mois, Philippe Auguste prend Château-Gaillard. La Normandie est annexée au domaine royal. L'année suivante, il s'empare de la Touraine et de l'Anjou.

1208 **La croisade contre les Cathares.** Le comté de Toulouse est en proie à l'hérésie cathare, qui affirme l'omniprésence du mal et l'absence de libre arbitre pour l'homme. Après deux ans de prêches de saint Dominique en pays d'oc, le pape Innocent III appelle à une croisade. Le meurtre de son légat, Pierre de Castelnau, qui vient d'excommunier le comte de Toulouse, trop favorable aux Cathares, déclenche les opérations militaires. En 1209, une croisade, violente et meurtrière, est menée par Simon de Montfort au nom du roi de France. En 1213, Simon est maître du comté de Toulouse.

1214 **La victoire de Bouvines.** Philippe Auguste remporte la victoire de Bouvines sur une coalition formée par Jean sans terre, l'empereur germanique Otton, les comtes de Flandre et de Boulogne.

1227 **La mort de Philippe Auguste.** Grâce à l'accroissement du pouvoir royal, grâce à ses victoires militaires, Philippe Auguste n'a plus besoin d'associer son fils en le faisant sacrer de son vivant. Sa mort donne lieu aussi aux premières grandes funérailles royales.

LA BATAILLE DE BOUVINES

◼ De nouveaux venus dans la bataille

Philippe Auguste dispose de 1 300 chevaliers, d'autant de sergents cavaliers et de 4 500 fantassins. Les coalisés alignent quelque 1 500 chevaliers et 7 500 sergents à pied. Les sergents cavaliers et les fantassins sont issus du peuple, ils proviennent des milices communales. Les sergents à pied d'Otton sont des mercenaires.

◼ Les premiers contacts

Philippe Auguste ne veut pas engager le combat un jour où les chrétiens ne doivent pas se battre (on est le dimanche 27 juillet). Mais à proximité de Lille, son arrière-garde est rejointe par l'armée d'Otton, qui le poursuit. Le roi de France dispose son armée pour la bataille. À midi, il lance 250 sergents cavaliers contre les chevaliers du comte de Flandre qui considère avec dédain ces cavaliers roturiers. Les charges répétées font céder les rangs flamands. Le comte, gravement blessé, est fait prisonnier.

◼ Le duel des rois

Otton, qui a ordonné ses troupes, attaque et bouscule les milices françaises. Ses fantassins atteignent Philippe Auguste et le tirent à bas de son cheval. L'armure du roi résiste aux coups. Sa garde le sauve, il remonte en selle. L'action se retourne. Les chevaliers français chargent. Philippe Auguste blesse à l'œil le cheval d'Otton, qui s'emballe et s'écroule… Otton s'enfuit. L'armée royale fait 300 prisonniers nobles qui seront échangés pour la plupart et traîtres mis à part, contre une rançon. La victoire donne lieu à sept jours de fêtes dans tout le royaume.

> Bouvines, c'est le coup d'éclat qui consacre la monarchie capétienne qui apparaît soutenue par Dieu. C'est aussi, autour du roi vainqueur, la manifestation d'un certain sentiment national largement exploité. Avec la participation de milices communales et de mercenaires, c'est peut-être aussi la fin du combat de type féodal. La dynastie capétienne l'emporte sur les barons.

Tandis que les cavaleries des deux armées s'affrontent à l'arrière-plan, Philippe Auguste fait face à l'empereur Otton. Il encourage ses vassaux à combattre avec vaillance.

Louis VIII, Louis IX : l'apogée capétien

Louis IX, dit Saint Louis, développe, plus qu'aucun de ses prédécesseurs, le sentiment de respect dû au roi. Il consolide sa souveraineté en affirmant la primauté de la justice royale sur les justices seigneuriales. Il contrôle l'action des baillis par l'envoi d'enquêteurs royaux qui entendent les plaintes de la population et répriment les abus. Il impose aussi son idéal chrétien.

1223 **L'avènement de Louis VIII.** Fils de Philippe Auguste, il enlève au roi d'Angleterre presque toutes ses terres françaises. En 1226, il meurt d'une dysenterie, en revenant d'une croisade contre les Cathares.

1226 **La régence de Blanche de Castille.** Louis, fils de Louis VIII n'a que 12 ans. Sa mère, Blanche de Castille, assure la régence et le fait sacrer roi à Reims.

1229 **L'accès à la Méditerranée.** Blanche de Castille ramène le comte de Toulouse dans l'obéissance au roi. Le comte expie publiquement l'hérésie cathare lors d'une cérémonie à Notre-Dame de Paris et accepte de marier son unique héritière au frère du roi. La réunion du comté de Toulouse à la couronne royale et la prise de possession du Languedoc offrent aux Capétiens un débouché sur la Méditerranée.

1230 **Le pouvoir royal étendu du Nord au Midi.** Louis IX émet la première ordonnance connue concernant l'ensemble du royaume.

1242 **La bataille de Saintes.** À Saintes, Louis IX bat les troupes d'Henri III, roi d'Angleterre, dans sa dernière tentative de reprise de possession du Poitou.

1244 **La fin de l'hérésie cathare.** Montségur, la citadelle où se sont réfugiés les derniers Cathares, tombe après dix mois de siège. Les 200 Cathares sont brûlés vifs sur le même bûcher. La dernière citadelle, Quéribus, tombe en 1255.

1248 **Le triomphe de l'art gothique.** Construite pour accueillir des reliques de la crucifixion achetées par Louis IX aux Vénitiens, la Sainte-Chapelle du palais royal de l'île de la Cité à Paris est achevée.

Louis IX en croisade. La chute de Jérusalem décide le roi à prendre la croix. C'est la septième croisade. En août 1248, Louis IX s'embarque à Aigues-Mortes avec 25 000 hommes et 7 000 chevaux. Il passe sept mois à Chypre, débarque en Égypte, s'empare de Damiette le 5 juin 1249. Il marche sur Le Caire quand il est fait prisonnier à Mansoura le 5 avril 1250. Libéré le 6 mai contre une rançon de 400 000 livres, il reste en Terre sainte. La mort de Blanche de Castille provoque son retour en France en juillet 1254.

1259 **La paix avec l'Angleterre.** Par le traité de Paris, Louis IX restitue à Henri III d'Angleterre les droits acquis par Philippe Auguste sur le Limousin, le Périgord et le Quercy. En échange, Henri III renonce définitivement à la Normandie, à la Touraine et au Poitou. Mais le roi d'Angleterre prête hommage au roi de France pour les fiefs qu'il détient en Guyenne.

1270 **La mort de Louis IX lors de la huitième croisade.** Le roi débarque à Tunis. Le typhus et la dysenterie déciment son armée et emportent le roi pendant le siège. Son fils Philippe III le Hardi règne pendant quinze ans et poursuit son œuvre.

SAINT LOUIS

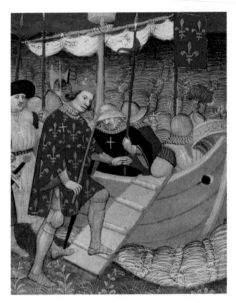

◼️ Frater Ludovicus ou le roi pieux

« Tu n'es que le roi des prêtres et des clercs ! » lui dit un jour une vieille femme. Saint Louis, roi très pieux, imite le Christ dans sa vie quotidienne : il visite les lépreux, lave les pieds des pauvres, fonde les hospices (le Quinze-Vingts pour les aveugles). Il pratique le jeûne et l'abstinence. Il fait deux croisades et meurt en martyr devant Tunis, « à 3 heures de l'après-midi, comme Jésus-Christ », note Joinville, son chroniqueur. Saint Louis est canonisé en 1297.

◼️ Une foi intransigeante

La foi de Saint Louis le conduit à l'intolérance : « Quand on entend médire de la foi chrétienne, il ne faut la défendre qu'avec l'épée, dont on doit donner dans le ventre autant qu'elle y peut entrer. » Saint Louis organise de gigantesques autodafés du Talmud, livre sacré des juifs, et impose à ces derniers le port d'une rouelle jaune.

Le 25 août 1248, Saint Louis s'embarque dans le port d'Aigues-Mortes, pour la septième croisade. Il respecte ainsi le vœu prononcé lors d'une grave maladie.

◼️ Le roi justicier

L'image du roi rendant la justice, assis sous un chêne dans les bois de Vincennes, est passée à la postérité. Saint Louis abolit le duel judiciaire et développe la recherche de preuves raisonnables par enquête et audition de témoins. Il réprime les abus des justices seigneuriales.

Roi juste, roi à la piété fervente, roi intraitable, le portrait est contrasté. Mais Saint Louis est aussi un roi pacifique qui préserve le royaume des horreurs de la guerre ; un roi populaire qui, par son rayonnement moral et ses réformes, renforce l'autorité royale.

Saint Louis lave les pieds d'un mendiant et montre ainsi sa charité envers les humbles.

Philippe IV le Bel et la fin des Capétiens directs

Entouré de « légistes royaux » nourris de droit romain, Philippe le Bel rend efficace son administration en spécialisant les sections financières et judiciaires du Conseil royal. Son besoin d'argent pour administrer le royaume et mener la guerre contre l'Angleterre l'amène à faire varier le cours et l'alliage des monnaies et à entrer en conflit avec le pape et le puissant ordre du Temple.

1285 **L'avènement de Philippe IV le Bel.** Fils de Philippe III, il s'entoure de conseillers, les légistes, qui travaillent à établir un droit écrit valable pour l'ensemble du royaume et à faire du roi un souverain plus qu'un suzerain. Le but est d'établir un ordre politique chrétien. Par son mariage, il réunit au domaine royal la Navarre et la Champagne, l'un des cinq grands fiefs français.

1299 **La Guyenne reste anglaise.** Alors qu'après trois années de guerre, ses troupes ont conquis les terres du duc de Guyenne qui est aussi roi d'Angleterre, Philippe le Bel s'en remet à l'arbitrage du pape Boniface VIII qui se prononce pour le retour au statu quo.

1301 **Le conflit avec la papauté.** Après un premier affrontement avec le pape lors de la levée d'une taxe (la décime) sur le clergé français en 1296, le conflit s'aggrave. Philippe le Bel a en effet fait arrêter l'évêque de Pamiers qui l'a traité de faux-monnayeur. Le pape Boniface VIII menace alors le roi de France d'excommunication.

1302 **La convocation des « états » du royaume.** Pour faire connaître sa position dans le conflit qui l'oppose au pape, Philippe le Bel convoque les « états » du royaume, une assemblée de 1 000 notables de la noblesse, du clergé et de la bourgeoisie des villes. Ces états généraux (réunis aussi en 1308 et 1314) donnent une audience exceptionnelle aux décisions du roi, décisions que les participants ne peuvent qu'« acclamer ». Ils marquent aussi la naissance de la fiscalité d'État.

1303 **L'attentat d'Anagni** (7 septembre). Philippe le Bel, fort de l'appui de ses « états », réclame la déposition du pape. Il va même jusqu'à faire enlever Boniface VIII à Anagni, près de Rome. Mais l'opposition des habitants fait échouer l'expédition.

1305 **La papauté à Avignon.** Le nouveau pape, Clément V, est français et des troubles agitent Rome. La cour pontificale s'installe alors dans le Comtat Venaissin (possession du pape depuis 1229). Les conflits entre Italiens et Français conduisent à la scission de deux papautés, l'une à Rome et l'autre à Avignon.

1307 **L'affaire des Templiers.** Dans sa quête d'argent, Philippe le Bel s'attaque à l'ordre du Temple.

1328 **La fin des Capétiens directs.** À la mort de Philippe le Bel en 1314, ses trois fils lui succèdent brièvement : Louis X dit le Hutin, c'est-à-dire le colérique (1314-1316), Philippe V le Long (1316-1322) et Charles IV le Bel (1322-1328). Ce dernier meurt sans héritier mâle ; or une assemblée de notables a exclu en 1316 les femmes de la succession au trône de France. Le pouvoir échoit donc à un de ses cousins, Philippe de Valois, petit-fils de Philippe III le Hardi.

LES TEMPLIERS

■■ Le rôle des Templiers

Créé en 1120, l'ordre du Temple est ainsi nommé parce qu'il est installé près du temple de Salomon à Jérusalem. Il reçoit sa règle propre en 1129. Moines guerriers réputés, les Templiers protègent les Lieux saints, surveillent les routes de pèlerinage et édifient des forteresses qui sont autant de lieux sûrs pour entreposer l'argent de l'ordre. Ils deviennent ainsi des banquiers.

■■ L'arrestation des Templiers

Le 13 octobre 1307, sur ordre de Philippe le Bel, tous les Templiers de France sont arrêtés. Les accusations sont rendues publiques : au cours de cérémonies nocturnes d'admission, les Templiers renient le Christ, crachent sur la croix, adorent des idoles et se livrent à la sodomie. Un premier interrogatoire est mené par des commissaires royaux, un second par des cardinaux désignés par le pape. Les Templiers, torturés, avouent tout !

■■ L'élimination des Templiers

En mai 1310, lors de leur procès, des Templiers reviennent sur leurs aveux. Déclarés « relaps », 54 d'entre eux sont brûlés à Paris. Le 3 avril 1312, le pape Clément V dissout l'ordre du Temple. Leurs biens reviennent à l'ordre des Hospitaliers. Philippe le Bel annule la dette royale envers les Templiers. Il fait saisir l'argent accumulé dans les cent commanderies du Temple en France. Le grand maître Jacques de Molay, condamné à la prison perpétuelle, revenu sur ses aveux, est conduit au bûcher à Paris le 18 mars 1314 et jette une malédiction célèbre sur ceux qui « ont condamné à tort ».

Jacques de Molay, le vingt-deuxième et dernier grand maître des Templiers

La fin des Templiers est certainement pour Philippe le Bel le moyen de se procurer de l'argent, mais c'est aussi la suite logique de ses querelles avec Boniface VIII, sa volonté d'affirmer son pouvoir en face du pape en détruisant ce qui aurait pu devenir une véritable milice papale.

Insignes des Templiers sur un mur de château.

Les débuts de la guerre de Cent ans

Les royaumes de France et d'Angleterre s'affrontent dans un conflit qui s'étire sur cent ans.

1337   **Le début de la guerre.** En 1328, au petit-fils de Philippe le Bel, Edouard III roi d'Angleterre, les barons du royaume ont préféré un de ses neveux, Philippe de Valois. Édouard refuse l'hommage qu'il a d'abord accordé au roi de France. Celui-ci, Philippe VI, confisque la Guyenne, fief français d'Edouard III. Ce dernier adresse une lettre de défi à « Philippe de Valois qui se dit roi de France ».

1340 - 1347   **Les désastres français.** La flotte française est détruite à l'Écluse en Flandre en 1340 ; les Anglais sont maîtres de la Manche. Sur terre, les Français sont défaits à Crécy en 1346 ; Calais se rend après onze mois de siège.

1356   **Le roi prisonnier.** Le roi de France Jean le Bon, qui a succédé à son père Philippe VI, est capturé avec son fils près de Poitiers par les armées du Prince noir, fils d'Édouard.

1357   **Paris se révolte contre le dauphin Charles.** Le chef de la révolte, le prévôt des Marchands, Étienne Marcel, s'allie aux Anglais. Il est tué par les Parisiens.

1360   **La paix de Calais.** Edouard III renonce au trône de France mais reçoit plus du quart du territoire français. Le roi de France, libéré contre rançon, renonce à toute souveraineté sur l'Aquitaine.

1364   **Charles V restaure l'autorité royale.** La perception des impôts devient régulière. Les grandes compagnies (des soldats sans engagement qui pillent le pays) sont éliminées.

1370   **La reconquête du territoire.** Elle est l'œuvre du chef des armées, Bertrand du Guesclin. À sa mort, en 1380, les Anglais ne possèdent plus en France que cinq places fortes dont Calais.

La querelle des Armagnacs et des Bourgui-gnons. Les crises de folie du nouveau roi, Charles VI, attisent les ambitions des princes. Une guerre civile éclate entre Armagnacs (partisans du roi) et Bourgui-gnons (alliés aux Anglais).

Le désastre d'Azincourt. Les troupes françaises sont décimées par l'armée d'Henri V, roi d'Angleterre.

Le traité de Troyes. Signé par Isabeau de Bavière, femme de Charles VI et Philippe le Bon, duc de Bourgogne, le traité déshérite de dauphin futur Charles VII et donne la couronne de France au roi d'Angleterre Henri V.

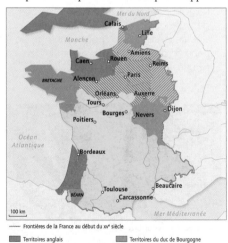

Frontières de la France au début du xvᵉ siècle

Territoires anglais

Territoires sous influence anglaise

Territoires indépendants

Territoires du duc de Bourgogne

Territoires sous influence de la Bourgogne

Royaume de Bourges (Berry agrandi de régions à fort sentiment anti-anglais)

LA PESTE NOIRE

◼ La maladie et sa propagation

Venue probablement d'Asie centrale et rapportée de Crimée par des marins génois, elle apparaît en France, fin 1347, vers Marseille. Elle frappe, cinq ans durant, des populations affaiblies par les famines. Elle revêt deux formes : la peste bubonique avec apparition de ganglions (bubons) gros comme des noix aux aisselles, et la peste pulmonaire, plus contagieuse, avec crachats sanguinolents. Le malade est foudroyé dans les huit jours, son cadavre noircit en quelques heures. Le rat, la puce et les malades contribuent à la propagation de la peste.

◼ Les peurs de la population

Les médecins préconisent des saignées, des purges, des diètes… ou la fuite ! Les processions se multiplient. La foule cherche des coupables : les Juifs, accusés d'avoir empoisonné les puits, connaissent des semaines de terreur. En Flandre, en Picardie et en Champagne, apparaissent les flagellants. Pour émouvoir le ciel, ils fouettent leur torse nu avec des lanières de cuir renforcées de pointes de fer.

◼ Une grande désorganisation

La peste désorganise toutes les activités… même la guerre ! Une trêve annuelle est reconduite de 1347 à 1351. Environ, un homme sur trois meurt. La vie économique est bouleversée. La surmortalité provoque l'effondrement de la main-d'œuvre et une forte hausse des salaires. Dans les campagnes, par manque de bras, des terres retombent en friches. Les semailles n'ont pas lieu et le pays connaît une terrible famine en 1349.

> Considérée par certains comme un châtiment divin, la peste noire a fait plus de victimes que n'en fera toute la guerre de Cent Ans. D'autres épidémies de peste, moins fortes, traverseront la France pendant la seconde moitié du siècle et aggraveront le déficit démographique. La peste ne disparaîtra en France qu'en 1920.

À Tournai, en 1349, les morts sont très nombreux. Les premiers cadavres sont inhumés dans des cercueils, les suivants jetés dans de grandes fosses communes seulement enveloppés d'un drap.

La fin de la guerre de Cent Ans, 1422-1453

Du « gentil dauphin » (Jeanne d'Arc) à Charles le Victorieux, le long règne de Charles VII (1422-1461) est marqué par de profondes réorganisations dans le fonctionnement de l'État royal (justice, finances, armées, etc.) et par la victoire finale dans la guerre franco-anglaise.

1422   **Des débuts contestés.** Charles VII devient roi. Fils d'un souverain fou (Charles VI), il n'est jusqu'en 1429, que le « roi de Bourges » et ne contrôle que la moitié du royaume.

1429   **Orléans délivré.** Jeanne d'Arc, jeune paysanne des marges orientales du royaume, convainc Charles VII de la légitimité de sa naissance et l'encourage à reprendre la lutte contre les Anglais. Le roi lève des troupes, sous le commandement de Dunois, pour délivrer Orléans. Le 8 mai, les Anglais lèvent le siège et Jeanne d'Arc entre triomphalement dans la ville.

Le roi sacré et couronné. L'armée entreprend une chevauchée vers Reims où Charles VII est sacré et couronné en présence de Jeanne d'Arc, le 17 juillet.

1430   **L'échec devant Paris.** Charles VII n'a pas encore les moyens de se lancer dans de grandes expéditions militaires. En 1430, il lève de nouvelles troupes pour reprendre Paris, mais c'est un échec. Jeanne d'Arc, qui poursuit la lutte, est capturée par les Bourguignons devant Compiègne puis livrée aux Anglais.

1431   **Le supplice de Jeanne d'Arc** (30 mai). Jeanne est jugée à Rouen. Condamnée à mort, elle est brûlée vive sur la place du Marché.

1435   **La paix d'Arras.** Pour battre les Anglais, Charles VII doit mettre fin à la guerre civile entre Armagnacs et Bourguignons. Au terme d'une difficile négociation, le duc de Bourgogne Philippe le Bon, qui a obtenu de grands privilèges, accepte de reconnaître Charles VII comme légitime roi de France. Charles VII peut entrer dans Paris. Les Anglais ne possèdent plus en France que Calais, la Normandie et la Guyenne.

1439   **L'impôt permanent.** Charles VII va se montrer un remarquable homme d'État ; son fort caractère a été forgé pendant une jeunesse perturbée par les intrigues, les batailles, les trahisons ou les crimes. Les États généraux réunis à Orléans l'autorisent à lever la taille, l'impôt royal, tous les ans, ce que le roi traduit dans l'ordonnance d'Orléans, se réservant par ailleurs la levée de troupes. Le roi dispose désormais de rentrées fiscales régulières, ce qui va lui permettre de financer la guerre. Il se réserve aussi la levée des troupes.

1445   **La création de l'armée permanente.** Charles VII crée les compagnies d'ordonnance, renforcées par les francs archers en 1448. Le roi fait également développer l'artillerie.

1453   **La victoire.** La France parvient à reconquérir la Normandie après la victoire de Formigny (1540), puis la Guyenne, après celle de Castillon (1453). Les Anglais sont donc finalement « boutés hors de France », selon l'expression de Jeanne d'Arc. Ils conservent néanmoins Calais jusqu'en 1558. La guerre de Cent Ans se termine par la victoire de la France, que l'Angleterre ne reconnaît qu'en 1475, lors de l'entrevue de Picquigny, près d'Amiens.

JEANNE D'ARC

La mission de Jeanne la Pucelle (v. 1412-1431)

La jeune femme de 19 ans environ que font juger les Anglais à Rouen du 9 janvier au 30 mai 1431 leur répète ce qu'elle a déjà dit aux théologiens du « gentil dauphin » (Charles VII) en 1429 : elle est la fille d'un riche paysan d'une seigneurie de la vallée de la Meuse ; elle a appris à tenir une maison ; elle pratique intensément la religion ; vers 1424/25, elle entend les voix de trois saints et en reçoit sa « mission » : faire sacrer le roi et chasser les Anglais ; elle restera vierge (pucelle) en symbole de sa « mission ».

Le procès de Rouen

Les Anglais font à Jeanne un procès d'inquisition (procès religieux) pour hérésie (errance dans la foi) afin de discréditer Charles VII, lequel aurait agi sous l'emprise d'une hérétique inspirée par le diable. L'évêque Cauchon, partisan de l'union franco-anglaise sous un roi anglais, préside le tribunal à la demande de l'Angleterre. Il mène une longue instruction durant laquelle Jeanne subit de très pénibles conditions de détention.

Forcée d'abjurer ses « erreurs », Jeanne est condamnée à la prison à vie, mais elle se rétracte. Elle est alors déclarée « relapse (retombée dans l'erreur) et hérétique », ce qui permet de la condamner à mort. Elle est brûlée vive le 30 mai 1431 et ses cendres jetées dans la Seine.

Un symbole de la France

Il reste concernant Jeanne des questions non élucidées, par exemple : pourquoi Charles VII a-t-il fait confiance à Jeanne d'Arc, alors que bien d'autres prophétesses s'étaient présentées à la cour ? Charles VII ne fut pas ingrat, et c'est sous son règne, en 1456, qu'un second procès d'inquisition annule le premier et réhabilite Jeanne d'Arc, laquelle est peu à peu oubliée jusqu'au XIXe siècle. On se réfère alors à Jeanne, particulièrement après la défaite dans la guerre franco-prussienne. Elle devient dès lors le symbole de la France qui résiste face à l'envahisseur étranger. Dans les difficiles relations entre la France républicaine de la IIIe République et la papauté, Jeanne est finalement canonisée en 1920, devenant sainte Jeanne d'Arc. Fêtée à la fois par l'Église et la République, Jeanne est déclarée seconde patronne de la France après la Vierge Marie.

« Évêque, je meurs par vous » aurait dit Jeanne d'Arc à Cauchon juste avant son supplice ; c'est ce qui est représenté sur cette enluminure des Vigiles de Charles VII de Martial d'Auvergne (1477-1483)

Louis XI et la restauration du pouvoir royal

Louis XI s'efforce de moderniser le royaume et d'amorcer une centralisation de l'État. Il s'emploie à réduire les dernières révoltes féodales et son règne est marqué par son affrontement victorieux avec le duc de Bourgogne Charles le Téméraire. De plus, par les acquisitions territoriales de Louis XI et de son fils Charles VIII, les contours de la France actuelle commencent à se dessiner.

1461 **L'avènement de Louis XI.** À la mort de Charles VII avec lequel les relations ont été tumultueuses, son fils Louis XI accède au trône à 38 ans. Il procède à de nombreuses révocations parmi les conseillers de son père.

1465 **Le conflit avec les grands féodaux.** À Montlhéry, Louis XI affronte les troupes d'une large coalition dite du « Bien public ». Elle réunit les grands seigneurs inquiets d'une limitation de leur pouvoir. Elle réclame des réformes : suppression de l'armée permanente et baisse de la fiscalité. Le sort de la bataille est indécis. C'est par la négociation et des concessions séparées que Louis XI démantèle la coalition.

1467 **Les tensions avec la Bourgogne.** Le nouveau duc, Charles le Téméraire, entreprend des préparatifs militaires. Il veut envahir la Lorraine, l'Alsace et la Champagne pour réunir la Flandre à la Bourgogne. Louis XI lui propose une rencontre à Péronne en octobre 1468. Charles le Téméraire contraint le roi à accepter ses volontés.

1470 **La guerre contre les bourguignons.** Le conflit entre le roi de France et le duc de Bourgogne a alors pour cadre la Picardie, où Charles le Téméraire, épuisé par une guerre de sièges, est mis en échec en 1472 devant Beauvais défendu, selon la tradition, par Jeanne Hachette.

1475 **La neutralisation de l'invasion anglaise.** Charles le Téméraire a sollicité l'aide des Anglais. Mais au mois d'août, à Picquigny, sur la Somme, au milieu d'un pont coupé par une grille de bois, Louis XI rencontre Édouard IV d'Angleterre et achète son retrait.

1477 **La mort de Charles le Téméraire.** Les projets alsacien et lorrain de Charles le Téméraire suscitent d'autres adversités que celle du roi de France. Les villes se révoltent. Il est tué alors qu'il assiège Nancy pour prendre le contrôle du duché de Lorraine. L'héritage bourguignon revient à sa fille Marie de Bourgogne.

1481 **L'héritage de René d'Anjou.** Après la mort sans héritier de son cousin duc d'Anjou, Louis XI recueille par héritage l'Anjou, le Maine et la Provence.

1482 **Le traité d'Arras.** À la mort de Marie de Bourgogne, son mari, Maximilien de Habsbourg, abandonne à Louis XI la Bourgogne et la Picardie.

1483 **La mort de Louis XI.** Louis XI laisse un enfant de 13 ans sur le trône : Charles VIII. La fille aînée de Louis XI, Anne de Beaujeu, assure la régence et lutte avec succès contre les révoltes de féodaux conduites par Louis d'Orléans, cousin germain du jeune roi et futur Louis XII.

1491 **Le mariage breton de Charles VIII.** Charles VIII, qui gouverne désormais seul, se marie avec la duchesse Anne de Bretagne. Il réunit ainsi à la France le dernier grand fief indépendant.

LOUIS XI ET CHARLES LE TÉMÉRAIRE

Deux personnalités inconciliables

Louis XI, très pieu, intelligent, bon chef militaire, réaliste, a le goût de l'intrigue, il est « l'universelle aragne » (araignée). Il veut juguler la turbulence des grands féodaux.

Charles, intelligent, courageux et autoritaire, est impatient de réaliser ses desseins, d'où son surnom : « le Téméraire ». Il veut réunir en un royaume indépendant les riches terres de Flandre à la Bourgogne.

Duc de Bourgogne de 1467 à 1477, Charles le Téméraire a le goût des vêtements d'apparat. Sa cour est très brillante.

Roi de France de 1461 à 1483, Louis XI affectionne des vêtements simples et porte de curieux chapeaux à poil ras.

Louis XI pris au piège de Péronne

Le 9 octobre 1468, Louis XI, muni d'un sauf-conduit, se rend à Péronne pour convaincre le duc de Bourgogne de renoncer à la guerre. Au même moment, Liège, en Flandre, se soulève à l'instigation du roi. Le 11 octobre, Charles le Téméraire, qui a appris le complot, fait fermer les portes de la ville. Prisonnier, le roi accorde ce que lui demande le duc.

La fin tragique de Charles le Téméraire

Louis XI lance les Suisses dont il a acheté les services et le duc de Lorraine contre le duc de Bourgogne qui est défait à Granson, en mars 1476, et à Morat, en juin. Fou de rage, Charles le Téméraire assiège Nancy en octobre. Le 5 janvier 1477, le combat s'engage contre une importante armée de secours suisse. Deux jours plus tard, on retrouve le cadavre du duc à moitié dévoré par les loups.

La mort de Charles le Téméraire met fin au rêve bourguignon. Elle assure le triomphe de Louis XI qui, usant de son intelligence et de l'argent, apparaît comme le fondateur d'une monarchie d'un type nouveau.

De Charles VIII à Henri II : vers l'État moderne

La France retrouve une période de prospérité marquée par l'essor de la bourgeoisie. Parallèlement, l'autorité de la monarchie se renforce. Le gouvernement est davantage spécialisé, l'administration mieux organisée. La Cour devient un instrument de règne mais aggrave aussi les difficultés financières, tout comme les guerres et la construction des châteaux.

1498 **L'avènement de Louis XII.** Charles VIII, fils de Louis XI, meurt sans héritier. Le duc d'Orléans, arrière-petit fils de Charles V, monte sur le trône sous le nom de Louis XII et épouse l'année suivante Anne de Bretagne, la veuve de Charles VIII.

1506 **Le « père du peuple ».** Le titre est décerné au roi par une assemblée de villes pour son action en matière de justice et de fiscalité. En réalité, le roi exerce à plein son autorité et bénéficie de la reprise économique. Il est surtout occupé par les guerres d'Italie.

1512 **La vénalité des offices.** Le roi vend des charges (des offices) administratives et judiciaires. Pour la bourgeoisie qui les acquiert, c'est un moyen d'ascension sociale.

1515 **L'avènement de François Ier et la victoire de Marignan.** Louis XII meurt sans héritier. Son gendre (il a épousé Claude de France) et cousin, François d'Angoulême, lui succède. Il reprend la guerre en Italie et remporte la victoire de Marignan.

1516 **Le concordat de Bologne.** Le roi de France et le pape se partagent la nomination des évêques. Ceux-ci prêtent serment de fidélité au roi.

1530 **La fondation du Collège royal.** Futur Collège de France, les professeurs sont des humanistes payés par le roi. Ces «lecteurs royaux» publics enseignent des disciplines savantes sans collation de grade.

1534 **L'affaire des placards.** Dans la nuit du 17 au 18 octobre, des pamphlets contre la messe rédigés par des protestants sont affichés jusqu'à la porte de la chambre du roi à Amboise.

1539 **L'ordonnance de Villers-Cotterêts.** Le français (et non plus le latin) est obligatoire pour la rédaction des actes administratifs ou notariés et pour la tenue par les curés des registres d'état-civil. L'édit pose le socle de l'unité linguistique et administrative du royaume.

1547 **L'avènement d'Henri II.** Le fils de François Ier crée la Chambre ardente de Paris pour lutter contre les protestants. La première Chambre ardente date de 1535.

1559 **L'organisation du gouvernement central.** Le gouvernement se met progressivement en place avec des conseils spécialisés et la création de quatre secrétaires d'État (ministres).

LES GUERRES D'ITALIE
ET LA LUTTE CONTRE CHARLES-QUINT

Le camp du drap d'or en 1520.

La rencontre du roi d'Angleterre Henri VIII et de François Iᵉʳ est l'occasion de rivaliser de prestige, mais Henri VIII choisit de s'allier à Charles Quint.

▪ Les guerres d'Italie sous Charles VIII et Louis XII

Charles VIII rêve d'étendre la puissance française jusqu'à Jérusalem et tient un an (1494-1495) le royaume de Naples. Louis XII reprend les conquêtes françaises mais est menacé par la Sainte Ligue autour du pape Jules II. La Ligue regroupe les Anglais, les Espagnols, les Suisses, les Vénitiens. Le territoire est envahi. La mort du pape brise la coalition mais la France a perdu toutes ses possessions italiennes.

▪ François Iᵉʳ à Marignan

Le 14 septembre 1515, près de Milan, l'armée française, aidée des Vénitiens, bat les Suisses alliés du pape et du duc de Milan. Après cette bataille, les cantons suisses se déclarent officiellement neutres. La France occupe un temps le duché de Milan.

▪ La lutte contre Charles-Quint

Celui-ci a hérité des possessions bourguignonnes, autrichiennes et espagnoles. Il est empereur du Saint Empire depuis 1519. Alors qu'il tente de reconquérir le duché de Milan, François Iᵉʳ est fait prisonnier à Pavie par les troupes du duc. Une deuxième expédition lui permet toutefois d'obtenir la Bourgogne. Son fils Henri II aide les princes protestants allemands contre Charles Quint et s'empare des Trois-Évêchés de Lorraine : Metz, Toul et Verdun. En 1559, La paix est signée à Cateau-Cambresis avec les fils de Charles-Quint. La France renonce à l'Italie, conserve Calais enlevé aux Anglais en 1558 et les Trois-évêchés.

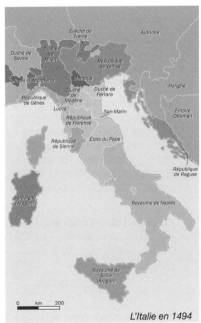

L'Italie en 1494

La Renaissance en France

La Renaissance débute en France dès la fin du XVe siècle, avec les premières guerres d'Italie. D'abord fortement influencées par les artistes italiens, les œuvres sont à partir de 1540 de plus en plus adaptées au goût français. La construction des châteaux, emblématique de cette Renaissance, témoigne aussi des progrès du pouvoir royal.

1515 - 1524 **La construction à Blois de l'aile François Ier.** Les travaux, en particulier l'escalier monumental, sont dirigés par l'architecte italien, Dominique de Cortone.

1516 **Léonard de Vinci en France.** Léonard de Vinci s'installe au Clos-Lucé (manoir du Cloux), près d'Amboise, à l'invitation de François Ier qui l'admire comme un père. Il travaille à de nombreux projets, telle la réalisation d'une ville nouvelle à Romorantin. Léonard de Vinci décédera au Clos-Lucé en 1519.

1519 **Les débuts de la construction de Chambord.** L'immense chantier auquel a peut-être été associé Léonard de Vinci, n'est achevé que sous Louis XIV. François Ier a cependant pu faire admirer le donjon à Charles Quint en 1539.

1528 **La galerie du château de Fontainebleau.** Outre la reconstruction du château selon le nouveau style, François Ier fait édifier une galerie (la première en France) reliant sa chambre à la chapelle. Ce sont des artistes italiens qui réalisent l'un des plus beaux ensembles de décoration de la Renaissance.

1546 **Les débuts des travaux de Pierre Lescot au Louvre.** Tout en s'inspirant de l'antiquité, redécouverte avec la renaissance italienne, Pierre Lescot (avec Jean Goujon pour une partie des sculptures) fait du Louvre le symbole et le modèle de la Renaissance française.

La construction du château d'Anet. Le château est commandité par Henri II pour Diane de Poitiers. L'architecte en est Philibert de l'Orme, le sculpteur Jean Goujon et le peintre Jean Cousin. La même année, Jean Goujon et Pierre Lescot commencent la construction de la Fontaine des Innocents à Paris.

Le palais des Tuileries. La construction du palais, commandée par Catherine de Médicis, est dirigée par Philibert de L'Orme puis à la mort de celui-ci, en 1570, par Jean Bullant.

François Ier dans l'éclat de ses 30 ans. Vêtu d'un somptueux pourpoint brodé, la main sur l'épée, il pose en roi chevalier. Bayard l'a fait chevalier au soir de Marignan.

LES CHÂTEAUX DE LA LOIRE

L'aile François Ier du château de Blois est significative du mariage des arts italien et français.

La passion des rois de France pour l'Italie

Les guerres menées en Italie permettent aux élites françaises de découvrir un mode de vie plus raffiné. Enthousiasmés par les palais italiens, Charles VIII, Louis XII et François Ier font

venir en France architectes, décorateurs et artistes italiens.

La prééminence du val de Loire

Les rois, qui ont alors une cour itinérante, apprécient le Val de Loire, pour son climat, pour la chasse… François Ier songe même un temps à installer la capitale à Romorantin, sur des plans de Léonard de Vinci.

Des châteaux de plaisance

Les châteaux (environ 200), construits ou remaniés le long du fleuve et alentour, sont des joyaux de la Renaissance française. Outre le bâti, les jardins et l'eau (non plus à vocation défensive mais pour l'attrait des yeux) deviennent des éléments essentiels.

Le château de Chambord est construit par François Ier entre 1519 et 1550, peut-être d'après un projet de Léonard de Vinci. Le château s'ordonne autour d'un « donjon » flanqué de quatre tours rondes. La clarté géométrique du plan, l'harmonie des proportions s'opposent à la fantaisie des toitures.

Les guerres de religion

Quarante ans durant, la France est déchirée par des guerres civiles entre protestants et catholiques, entre papistes et huguenots. Après une période d'alternance et d'édits entre répression et tolérance, le conflit s'exacerbe : massacres comme celui de la Saint-Barthélemy en 1572, émeutes, assassinats tels ceux du duc de Guise en 1588 et de Henri III en 1589.

1560 **La conjuration d'Amboise.** Les chefs du parti protestant projettent d'enlever le roi François II (fils d'Henri II) pour le soustraire à l'influence catholique de la puissante famille des Guise. Le complot échoue ; les chefs sont pendus aux créneaux du château de Blois. En décembre, François II meurt sans héritier. Son frère Charles IX lui succède.

1561 **Le colloque de Poissy.** À l'invitation du chancelier Michel de l'Hôpital, douze pasteurs protestants exposent leur doctrine à une assemblée du clergé. Le colloque est un échec.

1562 **Le massacre de Vassy.** Le 1er mars, à Vassy en Champagne, le duc de Guise massacre des protestants qui célèbrent leur culte. C'est le début des guerres de religion.

1570 **La paix de Saint-Germain.** Henri de Navarre, roi de Béarn, devient chef des protestants. La paix de Saint-Germain assure à ces derniers une certaine liberté de culte et des places-fortes.

1572 **La Saint-Barthélemy.** Le 24 août commence le massacre des protestants.

1576 **L'abjuration d'Henri de Navarre.** Il s'enfuit de Paris et abjure le catholicisme qu'on lui a imposé lors de la Saint-Barthélemy.

La « Sainte Ligue ». En juin se forme la Sainte Ligue catholique sous la conduite d'Henri de Guise.

1584 **La France des trois Henri.** Henri III, qui a succédé à son frère Charles IX en 1574, n'a pas d'enfant ; la mort de son frère fait d'Henri de Navarre l'héritier de la couronne. Les grands seigneurs, qui cherchent à regagner du pouvoir, lui opposent Henri de Guise.

1588 **La journée des barricades.** Menacé par la Ligue qui a déclenché l'émeute, Henri III s'enfuit de Paris. Les rues ont été barrées par des barriques emplies de terre et de pavés ; c'est l'origine des « barricades ».

L'assassinat d'Henri de Guise. Le 23 décembre, le duc de Guise est assassiné à Blois sur ordre du roi. Celui-ci est déchu de son trône par un Conseil de Paris en révolte.

1589 **L'assassinat d'Henri III.** Le roi qui s'est réconcilié avec Henri de Navarre, est assassiné par un moine exalté. Le royaume échoit au roi de Navarre que les catholiques refusent de reconnaître.

LA SAINT-BARTHÉLEMY

Le tableau de François Dubois, protestant réfugié en Suisse, peint vers 1580, est une vision partiale de l'événement. L'œuvre donne à voir la défenestration et la décapitation de Coligny et Catherine de Médicis, toute de noire vêtue, aux portes du Louvre.

■ Les prémices d'un massacre

Catherine de Médicis veut prolonger la paix de Saint-Germain en mariant sa fille Marguerite à Henri de Navarre. Le 18 août 1572, les principaux nobles protestants sont à Paris. Le 22 août, Coligny, qui siège depuis juin au Conseil du roi Charles IX, est blessé d'un coup d'arquebuse. Les protestants réclament justice.

■ La rage de tuer

À l'aube du dimanche 24 août 1572, dans un Paris où l'on a fermé les portes de la ville, l'amiral de Coligny est assassiné chez lui. Au signal du tocsin, des hommes, croix blanche au chapeau, massacrent les protestants. Aux 200 chefs protestants tués aux abords du Louvre s'ajoutent les cadavres de quelque 2 700 anonymes assassinés au hasard des rencontres. La fureur aveugle ne cesse que le soir. Henri de Navarre est épargné et a abjuré.

■ Les extensions en province

À la nouvelle des tueries de Paris, des fanatiques massacrent les protestants de province. À Orléans, 1 200 protestants sont exécutés en trois jours. À Rouen, ils sont égorgés dans les prisons où l'évêque les avait enfermés pour les protéger. Bourges, Lyon, Troyes sont touchées. Dans les villes du Midi, des exécutions systématiques ont lieu en octobre.

Au total, on dénombre en province de 5 000 à 10 000 victimes.

Charles IX a officiellement revendiqué le massacre. En fait, les historiens discutent toujours sur les vraies responsabilités. Le massacre de la Saint-Barthélemy a entraîné un durcissement de la politique religieuse du roi et de sa mère Catherine de Médicis. Les conversions sont encouragées, les chefs protestants tués. L'événement provoque aussi une réflexion sur la nécessité de limiter le pouvoir royal.

Henri IV, la paix retrouvée

Henri IV met cinq ans pour conquérir son royaume. Il rétablit la paix civile et religieuse et restaure le pouvoir monarchique. En 1598, il signe l'édit de Nantes, édit de « pacification » qui instaure la liberté de conscience. Son règne correspond aussi à la restauration économique du royaume. Le roi meurt en 1610 assassiné par un catholique fanatique.

1589 **L'avènement d'Henri IV.** Devenu roi de France sous le nom d'Henri IV, Henri de Bourbon (une branche des Capétiens), roi de Navarre, doit conquérir son royaume.

1590 **La victoire d'Ivry.** Henri IV rencontre à Ivry les troupes de la Ligue. Il les a déjà battues à Arques six mois auparavant, mais la victoire d'Ivry, en mars 1590, est définitive. C'est là, que selon la tradition, il enjoint ses troupes à suivre le panache blanc surmontant son casque. Abondamment relayé par la propagande royale, cet épisode devient mythique. Le blanc devient la couleur du roi et de la France jusqu'à la Révolution. En mai, Henri IV met le siège devant Paris qui reçoit, en septembre, le secours des troupes espagnoles.

1593 **L'abjuration définitive d'Henri IV.** Constatant que sa religion est un obstacle à sa montée sur le trône, Henri IV se livre, selon sa propre expression, à un « saut périlleux ». Il abjure le protestantisme à Saint-Denis le 25 juillet.

1594 **Le sacre et l'entrée dans Paris.** Henri IV est sacré roi à Chartres le 26 février 1594 (et non à Reims qui est alors aux mains des ligueurs). Il entre sans combat, le 22 mars 1594, dans un Paris lassé des excès et des abus de la Ligue.

1598 **L'édit de Nantes.** L'édit (30 avril) assure aux protestants le libre exercice de leur culte dans les 700 villes et bourgs, Paris excepté, où il était pratiqué avant 1597, et le libre accès à tous les emplois. Il établit 151 lieux de refuge, dont 51 places de sûreté tenues par eux. Il réaffirme aussi la primauté du catholicisme dans le royaume.

La paix avec l'Espagne. La victoire d'Henri IV à Fontaine-Française aboutit le 2 mai au traité de Vervins qui reprend les clauses du Cateau-Cambresis de 1559.

1602 **La réaffirmation de l'autorité monarchique.** Henri IV veut asseoir son autorité face aux autonomies municipales et aux grands nobles. Dans les villes ligueuses, le roi ne confie les responsabilités qu'à des officiers royaux dont la fidélité est acquise. Les complots donnent lieu à une répression exemplaire. Le maréchal Biron, gouverneur de Bourgogne, s'estimant mal récompensé des services rendus, conspire contre Henri IV avec l'aide des Espagnols. Il est arrêté, jugé et exécuté à la Bastille.

1604 **Sully et la restauration des finances.** Sully, surintendant des finances, rétablit l'ordre des comptes et la perception des impôts. Il dote la monarchie d'importantes ressources par la création d'une taxe, la « Paulette ». Moyennant une redevance annuelle facultative, les offices deviennent héréditaires. Par ailleurs, c'est aussi le retour à la prospérité économique.

1610 **La mort d'Henri IV.** Le 14 mai, le roi est assassiné par Ravaillac.

L'ASSASSINAT D'HENRI IV

Ce tableau du XIXᵉ siècle montre la totalité de la scène dans son déroulement chronologique :
Henri IV mortellement blessé et l'arrestation de Ravaillac.

■ Le roi sans escorte

Le 14 mai, à 16 heures, Henri IV quitte le Louvre dans un carrosse ouvert pour se rendre chez Sully, surintendant des finances. Il a renvoyé sa garde. Dans l'étroite rue de la Ferronnerie, le passage est obstrué par deux charrettes. Un homme surgit, prend appui sur un rayon de la roue arrière, frappe le roi à la poitrine avec un grand couteau. Le meurtrier est aussitôt arrêté. Le carrosse retourne au Louvre. Le roi expire une heure après.

■ Les mobiles de Ravaillac

Ravaillac, le tueur, est un grand homme roux de 30 ans, exalté, originaire d'Angoulême. Interrogé du 16 au 19 mai, torturé le 25, il n'avoue aucune complicité. Bon catholique, nourri de pamphlets louant Jacques Clément, le moine assassin d'Henri III, il a entendu dire qu'Henri IV voulait faire la guerre au pape et préparait une Saint-Barthélemy des catholiques. C'est, depuis 1690, la vingtième tentative d'assassinat contre la personne du roi.

■ Le supplice du régicide

Le châtiment de Ravaillac est exemplaire. Soumis une dernière fois à la question, le régicide ne parle pas. Le bras qui a frappé le roi est plongé dans du soufre en feu. Son corps est tenaillé, du plomb fondu, de l'huile et de la résine bouillantes sont versés sur les plaies. Après une pause pour qu'il « se sente mourir » en « distillant son âme goutte à goutte », Ravaillac est écartelé. Son corps démembré est brûlé.

Acte isolé ou complot car Henri IV s'apprêtait à entrer en guerre contre les souverains catholiques d'Espagne et d'Autriche ? Son assassinat conforte la légende du « bon roy Henri », le roi le plus populaire qu'ait eu la France depuis longtemps. L'acte est aussi assimilé à un parricide contre le « roi-père » et conforte la dynastie des Bourbons.

Louis XIII et la raison d'État

Dix-huit ans durant, le règne de Louis XIII est marqué par l'étroite association du roi avec son ministre, le cardinal de Richelieu. Ce dernier a le souci constant de renforcer l'autorité royale et de préserver la grandeur du royaume. Par la force, il met fin à l'indépendance politique des protestants et aux rébellions de la noblesse. Il impose aussi l'idée qu'il existe une raison d'État.

1610 **La régence de Marie de Médicis.** À la mort d'Henri IV, son fils n'a que 9 ans. Louis XIII est couronné à Reims le 17 octobre, mais le Parlement de Paris a confié la régence à sa mère, Marie de Médicis. Elle prend conseil auprès de Leonora Galigaï, sa sœur de lait, et du mari de celle-ci, Concini, un intrigant dont l'enrichissement fait scandale.

1617 **Le « coup de majesté » de Louis XIII.** Le jeune Louis XIII fait assassiner Concini et prend en main les rênes de l'État.

1620 **Le rétablissement du culte catholique en Béarn.** Louis XIII, roi de France et de Navarre, veut, conformément aux clauses de l'édit de Nantes, rétablir la religion catholique en Béarn. Il s'ensuit une guerre qui s'achève en 1622.

1624 **L'ascension de Richelieu au Conseil du roi.** Cardinal depuis deux ans déjà, Richelieu est appelé par Louis XIII au Conseil du roi. Il en devient le « principal ministre ».

1626 **Le contrôle de la société nobiliaire.** Les duels entre gentilshommes font des centaines de morts. Pour imposer un ordre royal, Richelieu fait publier et appliquer un édit qui condamne les duellistes à la peine capitale.

1627 **Le siège de La Rochelle.** Se sentant menacés, les protestants demandent secours aux Anglais qui occupent l'île de Ré, proche de La Rochelle, ville majoritairement protestante. Richelieu isole la cité qui tombe après un an de siège et 15 000 victimes.

1629 **L'édit de grâce ou paix d'Alès.** Signé après de nouvelles victoires des armées royales, l'édit conserve aux protestants leurs garanties civiles et religieuses, mais détruit leurs places fortes.

1630 **La journée des Dupes.** Alors que l'on croit que Richelieu va être écarté selon le vœu de Marie de Médicis, Louis XIII le confirme dans sa fonction.

1632 **L'exécution du duc de Montmorency.** Le duc, gouverneur du Languedoc, est décapité pour avoir fomenté une révolte.

1635 **La guerre avec l'Espagne.** La France déclare la guerre à l'Espagne. Partis des Pays-Bas, les Espagnols envahissent la Picardie (1636), menacent Paris. Les Français reprennent Hesdin, Bapaume et Arras (1640). Mais le triplement de l'impôt royal provoque la révolte des croquants entre Loire et Garonne et celle des va-nu-pieds en Normandie.

1642 **L'execution du marquis de Cinq-Mars.** Richelieu le fait exécuter pour avoir monté, avec le soutien de l'Espagne, une conspiration qui projetait de l'assassiner. Richelieu s'éteint toutefois le 4 décembre.

1643 **La mort de Louis XIII.** Louis XIII meurt le 4 mai.

LE CARDINAL DE RICHELIEU

Le cardinal de Richelieu, par Philippe de Champaigne, vers 1642. La précision du portrait et l'expression du cardinal montrent un homme sûr de lui, au sommet de sa puissance.

◼ La conquête du pouvoir

Armand Jean du Plessis naît à Paris en 1585. L'évêché de Luçon étant traditionnellement dans la famille, et son frère y ayant renoncé pour être moine, il devient docteur en Sorbonne et est consacré évêque en 1607. Aux états généraux de 1615, il prononce le discours de clôture. Il est remarqué par Marie de Médicis. Entré au Conseil du roi en avril 1624, il lui suffit de quatre mois pour en prendre la direction.

◼ La journée des Dupes ou le « grand orage »

Novembre 1630, au palais du Luxembourg, Marie de Médicis, hostile à la politique anti-espagnole de Richelieu, exige son renvoi par le roi. Le cardinal survient. Marie de Médicis se déchaîne, Richelieu se jette aux pieds du roi qui quitte les lieux sans un regard pour lui. Le cardinal se croit perdu. Le lendemain, le roi le convoque à Versailles et le confirme dans ses fonctions. Marie de Médicis s'exile à Bruxelles. C'est la journée des Dupes.

◼ La main de fer de l'homme en rouge

Le cardinal de Richelieu fascine par son obstination à « rendre le roi absolu en son royaume » et à ne manifester aucune pitié en cas de rébellion à son autorité. Il maintient l'ordre en province par l'envoi des « intendants de justice, police et finances », commissaires royaux temporaires dotés des pleins pouvoirs. Il n'hésite pas à faire démolir des châteaux forts privés, il fait exécuter le comte de Boutteville, qui s'est battu au lendemain d'un édit interdisant les duels. Il aide cependant Théophaste Renaudot, fondateur de la *Gazette de France*, et crée en 1635 l'Académie française.

Restaurateur du pouvoir royal, infatigable serviteur de l'État, Richelieu est plus un homme politique pragmatique qu'un théoricien de la monarchie absolue. Par l'ensemble de ses actions, et notamment la création des intendants, il tend à faire de la France un État moderne.

Louis XIV, le Roi-Soleil

Le règne de Louis XIV, le plus long de l'histoire de France (1643-1715), marque l'apogée de la monarchie absolue. Au début du règne, la Fronde (1648-1653) faillit mettre la monarchie sous tutelle, mais la victoire finale du pouvoir royal fait taire les velléités des parlementaires et des grands nobles. Les années 1678-1683 marquent un tournant du règne.

1643 **Le temps de la régence.** À la mort de Louis XIII, Anne d'Autriche est régente au nom de Louis XIV qui n'a pas encore 5 ans, mais c'est surtout Mazarin, membre du Conseil et nommé parrain du roi, qui exerce le pouvoir. Le 19 mai, le duc d'Enghien, futur Grand Condé, remporte à Rocroi une éclatante victoire sur les Espagnols.

1648 **La Fronde.** Avant la Révolution, c'est la dernière grande révolte des privilégiés contre le pouvoir royal. Profitant de la minorité du roi, les parlementaires contestent les impôts tandis que les grands nobles se veulent les conseillers naturels du souverain. Alors que les traités de Westphalie mettent fin à la guerre de Trente Ans – la France obtient, entre autres, les évêchés de Metz, Toul et Verdun –, le pays est peu à peu touché par une guerre civile dont les derniers soubresauts ont lieu à Bordeaux en 1653. Très menacé, le pouvoir royal est finalement fermement maintenu par Mazarin, lequel devient un véritable professeur de science politique pour le roi.

1653 **Le «Roi Soleil».** Le 23 février, dans la salle du Petit-Bourbon, à Paris, a lieu la première représentation du *Ballet royal de la nuit* d'Isaac de Benserade sur une musique de Jean de Cambefort. Louis XIV, qui participe à la danse, apparaît pour la première fois en soleil. C'est le soleil levant qui dissipe les nuages, allusion compréhensible par tous les spectateurs à la Fronde, laquelle a été vaincue par le rétablissement du pouvoir royal.

1659 **La paix avec l'Espagne.** La paix des Pyrénées met enfin un terme à la guerre contre l'Espagne entamée en 1635. La France annexe l'Artois et le Roussillon. Louis XIV épouse Marie-Thérèse, infante d'Espagne, en 1660.

1661 **Le « coup de majesté ».** Au lendemain de la mort de Mazarin, Louis XIV décide de gouverner sans « principal ministre ». Ainsi débute le « gouvernement personnel » de Louis XIV, lequel devient le symbole même du monarque absolu avec des ministres (Colbert, Louvois…) qui ne sont plus que de simples exécutants de la volonté royale. La même année, Louis XIV décide l'ouverture du grand chantier de Versailles dont le palais sera le reflet de sa puissance et de sa gloire. L'année suivante, Louis XIV prend le soleil pour emblème et pour devise, *Nec pluribus impar* : non inégal à plusieurs, soit supérieur à tous.

1678 - 1683 **« Le plus grand roi du monde ».** C'est ainsi que se qualifie Louis XIV après une série de victoires sur des coalitions successives. La France annexe douze places fortes dont Lille et Douai (traité d'Aix-la-Chapelle, 1668), puis la Franche-Comté et de nouvelles places fortes (Cambrai, Maubeuge…, traité de Nimègue, 1678). En fortifiant de nombreuses villes aux frontières et sur le littoral, Vauban protège la France par une « ceinture de fer ». Le roi s'installe à Versailles en 1682 ; la reine et Colbert meurent l'année suivante. Les succès masquent mal cependant les difficultés : impôts, révoltes, mécontentement des pays étrangers.

LA MONARCHIE ABSOLUE

Dans ce portrait officiel, par Hyacinthe Rigaud en 1701, Louis XIV arbore les insignes de la royauté : le sceptre, tenu à l'envers, la petite couronne fermée et la main de justice, « Joyeuse », l'épée « de Charlemagne ». Le roi, âgé alors de 63 ans, porte le grand manteau du sacre, bleu fleurdelisé d'or, doublé d'hermine, et le collier de l'ordre du Saint-Esprit. Ses chaussures sont à talons rouges, tels que les nobles en portaient à la cour.

◼ Une lente maturation

À partir du règne de François Iᵉʳ, le pouvoir royal évolue vers la monarchie absolue ; ce roi est d'ailleurs le premier de l'histoire de France à être appelé « Majesté ». Sous Louis XIII, Richelieu châtie impitoyablement tous les opposants, religieux ou politiques ; son œuvre est poursuivie, avec souplesse, par Mazarin, lequel lègue à Louis XIV, après les troubles de la Fronde, un pouvoir royal qui s'impose dans tout le royaume.

◼ « Monarque absolu »

Cette expression signifie que le roi gouverne réellement seul, sans être lié (*absolutus* en latin veut dire non lié) et qu'il ne doit de comptes qu'à Dieu. Il est sacré « roi de France par la grâce de Dieu » mais ne peut pas faire tout ce qu'il veut ; de nombreux contre-pouvoirs lui font obstacle.

◼ Les limites de l'absolutisme

Le roi ne peut intervenir dans les contrats privés (mariages, testaments…) et doit respecter les nombreux privilèges des individus, en particulier ceux du clergé et de la noblesse, ou encore ceux des métiers et des villes. Les parlements disposent du pouvoir politique de rendre applicables, en les écrivant dans un registre, les décisions du roi ; ils gênent le pouvoir royal en discutant avant l'enregistrement. Le français de la Cour n'est pas compris partout dans le royaume ; les ordres du gouvernement sont souvent mal retransmis et les intendants des provinces, proches de leurs administrés, édulcorent les décisions prises à Versailles.

Le Grand Siècle du Classicisme

Alors que l'art baroque s'impose en Europe, le classicisme l'emporte en France et triomphe avec Louis XIV. L'idéal classique est conçu comme une esthétique des règles et de l'ordre ; il s'illustre dans l'art ainsi que dans la littérature et la musique. Il correspond aussi au Grand siècle de la monarchie absolue.

1648 **La fondation de l'Académie royale de peinture et de sculpture.** Les Académies et les manufactures, comme les Gobelins (1663), Beauvais (1664) ou Saint-Gobain (1665) participent aussi à la munificence royale.

1651 ***Nicodème* de Corneille.** Cette tragédie de l'affrontement entre le héros et l'État est aussi une pièce à clefs au moment de la Fronde.

1668 **Le premier recueil des *Fables* de La Fontaine.** Le recueil est dédié au dauphin.

1669 **Les oraisons funèbres de Bossuet.** La plus célèbre des douze oraisons funèbres de l'évêque de Meaux est l'*Oraison funèbre d'Henriette d'Angleterre* (« *Madame se meurt ! Madame est morte !* »).

1670 **Le *Bourgeois gentilhomme*.** Louis XIV et la Cour assistent à la création de la pièce de Molière, au château de Chambord.

1677 ***Phèdre* de Racine.** Dernière tragédie profane de Racine, elle est jouée sur la scène de l'hôtel de Bourgogne.

1678 - 1710 **La grande période des travaux de Versailles**. Elle se fait sous la direction de Jules Hardouin-Mansart et Charles Le Brun : galerie de Glaces (1678-1684), Grande Écurie et Petite Écurie (1678-1682), Trianon de Marbre (1678-1690)…

1699 **Les *Aventures de Télémaque* de Fénelon.** Traité de morale et de politique à l'usage du duc de Bourgogne, petit-fils de Louis XIV, c'est une critique à peine voilée de la politique du roi, d'où la disgrâce de l'auteur.

1706 ***Premier livre de pièces de clavecin* de Rameau.** Un autre musicien, François Couperin, le grand fait connaître en 1713 ses *Pièces de clavecin. Premier livre.*

Alceste de Lully dans la Cour de Marbre

En 1674, à Versailles, Louis XIV donne une fête grandiose pour célébrer la conquête de la Franche-Comté. Lully crée Alceste, *son nouvel opéra, tandis que la troupe de Molière, décédé l'année précédente, donne* Le Malade imaginaire, *que Racine fait représenter* Iphigénie *et Boileau publier* L'art poétique.

VERSAILLES,
SYMBOLE DE LA MONARCHIE ABSOLUE

Cette vue aérienne du château a été prise en 2013, alors que la restitution des plombs dorées des toits de la Cour de Marbre était en cours. On voit le début du parc, la grandeur des bâtiments, la place d'armes et, séparant les écuries, les trois grandes routes plantées d'arbres conduisant à Saint-Cloud, Paris et Sceaux.

Versailles fait l'admiration des visiteurs. Beaucoup de souverains étrangers font bâtir chez eux leur Versailles, comme à Potsdam pour Berlin ou Schönbrunn pour Vienne.

■■ Un palais à la gloire du Roi-Soleil

À peine Louis XIV a-t-il pris le pourvoir (1661) qu'il entreprend le chantier versaillais, qu'il confie à la dernière équipe de Vaux-le-Vicomte, le château inachevé de Fouquet, son ministre disgracié : l'architecte Le Vau, le peintre Le Brun et le jardinier Le Nôtre. Peu à peu, il transforme le pavillon de chasse de Louis XIII en un somptueux palais, vitrine de sa puissance, de sa gloire et de la monarchie absolue. Versailles, c'est aussi un grand parc (8 000 ha en 1715) et une nature domptée, ou encore, une ville nouvelle, une des plus importantes du royaume.

■■ La noblesse domestiquée

Avec l'installation du roi, du gouvernement et de la Cour en 1682, Versailles devient le lieu où il faut se faire voir. Les grands nobles se transforment en courtisans qui se disputent les faveurs royales. Pour eux, le roi organise de grandes fêtes dans le parc et des divertissements dans le château.

■■ Le triomphe du style classique

Le premier Versailles est d'inspiration italienne, baroque ; mais à la fin des années 1670 avec, entre autres, la Galerie des glaces, l'architecte Hardouin-Mansart et surtout le peintre Le Brun créent un art plus sobre obéissant à des règles d'ordre et de symétrie, véritable art politique à la gloire de Louis XIV.

> Versailles, c'est la demeure d'un grand roi et la vitrine d'un art classique qui va se répandre en Europe. C'est le « département ministériel de la gloire », selon l'expression de l'historien américain Peter Burke. C'est enfin, l'expression d'une pensée politique.

Au plafond de la galerie des Glaces de Versailles, construite de 1678 à 1684, les peintures de Le Brun exaltent la gloire de Louis XIV, roi victorieux.

Louis XIV : les années sombres

La seconde partie du règne est nettement moins glorieuse que la première. À l'obstination de Louis XIV de supprimer la RPR – religion prétendue réformée, le protestantisme calviniste – dans le royaume et d'affirmer sa gloire par les armes s'ajoute une difficile conjoncture économique particulièrement ressentie par les paysans et le petit peuple des villes.

1685 **La révocation de l'édit de Nantes.** Les concessions politiques de l'édit de Nantes sont supprimées par Louis XIII et Richelieu après un nouveau conflit (paix d'Alès, 1629). Louis XIV veut aller plus loin, persuadé, comme de nombreux souverains de l'époque, que « la différence de religion défigure l'État » ; il s'appuie sur Bossuet, évêque de Meaux. Peu à peu, le roi multiplie les restrictions et les vexations envers les calvinistes. De 1681 à 1698, des militaires (dragons) « s'installent » dans les foyers calvinistes et exercent des violences ; les « dragonnades » provoquent de nombreuses conversions forcées et des fuites à l'étranger. Louis XIV peut ainsi révoquer l'édit de Nantes : le culte calviniste est interdit et les temples démolis. Les provinces non françaises en 1598, comme l'Alsace, où il y a des luthériens, ne sont pas concernées. Il y a des départs mais un commerce, profitable à la France, s'établit entre les convertis restés et les exilés du « Refuge » (l'étranger). Un culte clandestin se maintient cependant. Louis XIV s'en prend aussi aux jansénistes (catholiques rigoristes) et les fait condamner par le pape Clément XI (bulle *Unigenitus*, 1713), sans doute la plus grosse erreur du règne, les jansénistes devenant des opposants politiques de plus en plus influents contre l'absolutisme.

1688 - 1714 **Les guerres de la Ligue d'Augsbourg et de succession d'Espagne.** Louis XIV, par les « Réunions » s'empare de nombreux territoires au nord-est et à l'est, mécontentant des pays européens qui s'allient contre lui. Après le « sac du Palatinat » par les Français (1688-1689), le conflit traîne en longueur ; il se termine par une paix de compromis à Ryswick (1697). Louis XIV ayant accepté le trône d'Espagne pour son petit-fils Philippe provoque en 1701 un nouveau conflit en Europe. La paix est finalement signée à Utrecht (1713) puis à Rastatt avec l'Empire en 1714 ; le français devient langue diplomatique jusqu'au traité de Versailles de 1919.

1693 - 1694 et 1709 **Deux grandes crises de subsistance.** La première, la plus grave, a provoqué une effroyable mortalité d'au moins 1,6 million de morts sur 20 millions d'habitants. Le « grand hyver » de janvier-février 1709 a lui aussi fait de nombreuses victimes.

1702 **La révolte des Camisards.** Les protestants des Cévennes maintiennent un culte clandestin au « Désert ». Leur révolte est vaincue en 1710.

1707 **La Dîme royale de Vauban.** Voyageant partout en France pour s'occuper des forteresses, Vauban constate la grande misère du petit peuple, accablé d'impôts et préconise une « contribution générale » payée par tous, selon la richesse ; mais cela suppose l'abolition des privilèges, aussi le livre fut-il interdit. Louis XIV s'en inspira pour créer l'impôt du dixième et financer la guerre.

1715 **Mort de Louis XIV.** Le roi meurt le 1er septembre, laissant une énorme dette d'État.

LA FRANCE EN 1715

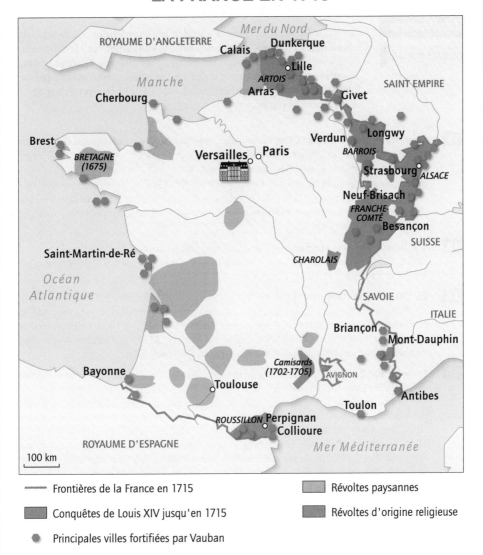

----- Frontières de la France en 1715

◼ Conquêtes de Louis XIV jusqu'en 1715

⬢ Principales villes fortifiées par Vauban

◻ Révoltes paysannes

◼ Révoltes d'origine religieuse

En 1715, la construction du territoire national est pratiquement achevée :
– au sud, le rattachement du Roussillon (1659) a donné à la frontière un tracé qu'elle a encore de nos jours ;
– au nord et à l'est, on a successivement assisté à l'acquisition de l'Artois (1659), de la Flandre (1668-1678), de la Franche-Comté (1678) et de la région de Strasbourg (1681). Cela a été l'occasion d'établir une frontière stratégique : Vauban a élevé ou remanié plus de cent vingt places fortes pour créer une « une ceinture de fer ».

La Régence : 1715-1723

« Un siècle en huit années » écrira plus tard Jules Michelet. Au-delà des critiques morales souvent outrancières, la Régence d'abord « libérale » puis « autoritaire » a renforcé l'État et la monarchie administrative. Le déficit financier a été réduit par le système Law et le rapprochement avec l'Angleterre puis l'Espagne a instauré la paix.

1715 **L'avènement de Louis XV.** À la mort de Louis XIV, ses enfants et petits-enfants sont décédés. Le trône revient à un arrière-petit-fils, Louis XV, qui n'a que cinq ans. Philippe d'Orléans, neveu de Louis XIV, assure la régence.

Après avoir réinstallé la Cour à Paris, Philippe d'Orléans remplace les ministres et secrétaires d'État par sept Conseils (la polysynodie), où siège la haute aristocratie. Mais ce fonctionnement est abandonné au bout de trois ans. La Régence « libérale » redevient « autoritaire » et absolutiste.

1716 **L'alliance franco-anglaise.** Ce revirement complet de la diplomatie est l'œuvre de l'abbé Dubois (cardinal en 1721). L'année suivante est conclue la Triple Alliance avec les Province Unies.

1718 **La Quadruple Alliance.** Le traité de Londres associe la France, la Grande-Bretagne, les Provinces Unies et le Saint Empire romain germanique. L'Alliance l'emporte sur Philippe V d'Espagne à l'issue d'une courte guerre (1719-1720). Le souverain espagnol adhère finalement à cette alliance (traité de Madrid, 1721) et l'infante Marie Anne Victoire d'Espagne, âgée de trois ans, est fiancée à Louis XV.

1720 **Le système Law.** Pour remédier à la situation financière, le Régent adopte le système de l'écossais Law. Ce dernier préconise une politique d'inflation alliée à une relance de l'économie par la mise en circulation de billets émis par une banque générale et garantis par l'État. Il fonde également une compagnie de commerce par actions, la Compagnie des Indes. Après un succès foudroyant, la banque de Law, créée en 1716, s'effondre en 1720 quand des actionnaires réclament le remboursement de leurs billets. C'est la banqueroute. Cet échec ruine des milliers de familles et provoque une défiance de longue durée vis-à-vis du papier-monnaie. Mais l'État a soldé sa dette et l'économie a été relancée.

La peste à Marseille. Amenée par un navire en provenance de Syrie, en mai 1720, la peste touche la ville un mois plus tard. Au terme de trente mois d'isolement par cordon sanitaire, l'épidémie s'arrête mais elle a fait 120 000 victimes dont 45 000 à Marseille, soit la moitié de la population de la ville. C'est la dernière manifestation de la peste en Europe.

1721 **La mort de Cartouche.** Louis Dominique Cartouche, chef de brigands, est roué vif place de Grève à Paris. Dès 1722, la légende commence, qui en fait une victime du pouvoir royal et des riches.

1722 **Le sacre du roi.** Louis XV est sacré à Reims le 25 octobre.

1723 **La majorité du roi et la mort de Philippe d'Orléans.** Devenu majeur à 13 ans, Louis XV demande au duc d'Orléans de poursuivre sa tâche avec le titre de principal ministre, mais ce dernier meurt le 2 décembre.

« LE PRINTEMPS DU SIÈCLE » (MICHELET)

◼ Les plaisirs retrouvés

La période de la Régence correspond à une époque de libération des mœurs du moins pour les élites aristocratiques. On assiste au retour des bals et des fêtes en réaction avec la dévotion et l'austérité des dernières années de Louis XIV. Cafés et salons littéraires se multiplient. L'opéra et la comédie italienne font salle comble. En 1722, la Cour revient à Versailles.

◼ Les petits soupers du Régent

Réputés licencieux, ces petits soupers privés où l'on se livre au libertinage sont surtout l'occasion pour Philippe d'Orléans d'oublier un moment les difficultés de sa charge. Le Régent est en réalité un grand travailleur, protecteur des arts et des lettres, soucieux de la paix extérieure (la France entre dans un quart de siècle de paix) et préoccupé de la paix inté-

rieure. L'opposition gallicano-janséniste est mise en sommeil et les parlements surveillés.

◼ Le style Régence

Les pièces sont plus intimes. Dans le mobilier, les lignes s'assouplissent, se galbent avec élégance. Le décor est rococo ; les « singeries » se multiplient. C'est un style de transition, entre le classicisme du siècle précédent et la grâce du style Louis XV.

La Régence est d'abord marquée par une réaction contre l'absolutisme royal et les mœurs austères des dernières années de Louis XIV, mais elle retrouve vite l'autoritarisme. La libéralisation des mœurs ne concerne qu'une minorité. Le renouveau spirituel commencé avec la Contre-réforme est sensible et plus de 90 % des Français sont « pascalisants ».

Cette œuvre de Jean-Antoine Watteau (1684-1721) intitulée Pèlerinage à l'île de Cythère (1717) *est la pièce de réception du peintre à l'Académie royale de peinture et de sculpture. L'artiste devient l'inspirateur d'un genre spécifique nouveau, celui des « fêtes galantes ». L'île grecque de Cythère est associée à Aphrodite, déesse de l'amour. On distingue sur la peinture de nombreux petits Cupidon ailés.*

Louis XV :
le règne personnel

La France de Louis XV connaît la prospérité économique mais le pouvoir royal éprouve des difficultés. Le règne se divise en deux temps et, au milieu du siècle, Louis le Bien-Aimé devient Louis l'impopulaire. Les raisons sont multiples : coûts et échecs des guerres étrangères, création de nouveaux impôts et difficultés à imposer des réformes perçues comme des manifestations d'absolutisme.

1725 **Le mariage de Louis XV.** L'infante promise à Louis XV a 9 ans, elle est renvoyée chez elle. Il épouse la fille du roi de Pologne, 22 ans.

1738 **La guerre de Succession de Pologne.** Louis XV intervient dans la guerre de Succession polonaise. Malgré les succès français contre l'Autriche, son beau-père, Stanislas Leszczyński, renonce au trône polonais et s'établit en Lorraine.

1739 **Le rétablissement des finances.** Œuvre du cardinal Fleury, principal ministre et ancien précepteur de Louis XV, le budget de 1739 et le suivant sont excédentaires.

1745 **La vaine victoire de Fontenoy.** Lors de la guerre de Succession d'Autriche (1740) qui oppose l'Espagne et la Prusse à l'Autriche, la France finit par entrer en guerre contre l'Autriche et l'Angleterre en 1744. Elle remporte la bataille de Fontenoy (1745) qui lui ouvre les Pays-Bas autrichiens et qui confère un regain de popularité à Louis XV. Pourtant, au traité d'Aix-la-Chapelle (1748), le roi de France restitue toutes ses conquêtes. Il s'est battu « pour le roi de Prusse » qui, pour sa part, a gagné la Silésie.

1749 **Le parlement de Paris contre un nouvel impôt.** Le parlement de Paris s'oppose à l'instauration par le contrôleur général des Finances, Machault d'Arnouville, d'un nouvel impôt, le « vingtième », qui doit frapper les revenus de tous les Français, à l'exception des salaires.

1751 **L'*Encyclopédie* des philosophes des Lumières.** Sous la direction de Diderot et d'Alembert est publié le premier des 28 tomes de l'*Encyclopédie*. Les articles de ce « Dictionnaire raisonné des sciences, des arts et des métiers » font l'état des connaissances acquises et des critiques émises contre l'ordre politique et social existant. Les Lumières contribuent à la naissance d'une opinion publique.

1763 **Les pertes du traité de Paris.** Ce traité met fin à la guerre de Sept Ans (1756-1763) qui, après un déroutant renversement des alliances, oppose l'Angleterre et la Prusse à la France et l'Autriche. Les Français combattent en Europe mais négligent les Indes et le Canada, où les Anglais leur infligent de sérieux revers. En vertu du traité, la France abandonne le Canada, la Louisiane et l'Inde, à l'exception de cinq comptoirs.

1768 **L'acquisition de la Corse.** La république de Gênes cède à la France ses droits sur la Corse moyennant le versement d'une rente, dix ans durant.

1771 **La suppression des parlements.** En proie à l'opposition des parlements à toute tentative de réforme, Louis XV et le chancelier Maupeou prononcent leur dissolution et les remplacent par des conseils supérieurs composés de magistrats choisis et payés par le roi.

1774 **La mort de Louis XV.** Après un règne de cinquante-neuf ans, Louis XV meurt dans l'indifférence.

LES PHILOSOPHES DES LUMIÈRES

▉ Le refus du pouvoir arbitraire

Les penseurs des Lumières critiquent l'exercice solitaire du pouvoir. Prenant en exemple la monarchie parlementaire anglaise, Voltaire appelle à résister à l'oppression. Diderot remet en cause l'autorité absolue des rois. Montesquieu explique la nécessité de séparer les pouvoirs exécutif, législatif et judiciaire. Les idées des Lumières sont rassemblées dans une œuvre collective : l'*Encyclopédie,* dirigée par Diderot et d'Alembert.

▉ L'aspiration à la liberté et à l'égalité

Tous les écrivains des Lumières réclament le respect des libertés fondamentales : liberté individuelle, liberté de pensée et liberté d'expression. Rousseau affirme que tous les hommes naissent libres et égaux en droit. Au plan religieux, ces revendications se traduisent par des appels à la tolérance. Les penseurs des Lumières, dont certains sont athées ou déistes, dénoncent le fanatisme et le sort fait aux juifs et aux protestants.

▉ La dénonciation de l'esclavage et de la Traite

Nombre de philosophes des Lumières condamnent l'esclavage et la traite négrière qui a conduit à la déportation de plusieurs millions d'esclaves africains envoyés aux Antilles pour travailler dans les plantations, de canne à sucre notamment. Ils dénoncent ce commerce qui enrichit certains grands ports de la façade atlantique.

Par leurs écrits, Jaucourt dans l'*Encyclopédie*, Montesquieu et Voltaire sont les précurseurs du mouvement abolitionniste.

Mouvement européen dans lequel les salons jouent un rôle majeur, la philosophie des Lumières remet en cause le pouvoir absolu, pose le principe des droits de l'homme, appelle à la tolérance. Elle va inspirer des hommes qui vont faire les Révolutions américaine et française.

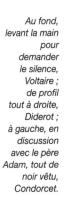

Au fond, levant la main pour demander le silence, Voltaire ; de profil tout à droite, Diderot ; à gauche, en discussion avec le père Adam, tout de noir vêtu, Condorcet.

Louis XVI : la crise de la monarchie

Sous le règne de Louis XVI, le déficit constant du budget de l'État est aggravé par le coût du soutien à la guerre de l'Indépendance américaine. Après l'échec d'ultimes tentatives de réformes et pour résoudre la crise financière mais aussi politique, économique et sociale, le roi réunit les états généraux en mai 1789. Ceux-ci se proclament Assemblée nationale en juin puis Assemblée constituante en juillet.

1774 **L'avènement de Louis XVI.** À la mort de Louis XV, c'est son petit-fils qui monte sur le trône, à l'âge de 20 ans.

1776 **L'échec de la réforme de Turgot.** Turgot, ministre de Louis XVI, tente de remplacer la corvée royale par un impôt payé par tous les propriétaires, privilégiés inclus. L'inégalité devant l'impôt résulte de la division de la société en trois ordres : le clergé, la noblesse et le tiers état. Le clergé (150 000 personnes) et la noblesse (400 000 personnes) ne payent pratiquement pas d'impôts et en prélèvent à leur profit. Le tiers état (24 500 000 roturiers aux statuts très divers) paye des impôts au clergé, à la noblesse et au roi. Les oppositions des privilégiés provoquent le renvoi de Turgot.

1777 **La guerre d'Indépendance américaine.** À partir de 1777, des volontaires français combattent victorieusement aux côtés des insurgés des treize colonies anglaises d'Amérique du Nord qui ont proclamé leur indépendance le 4 juillet 1776.

1781 **La réaction nobiliaire.** Un édit royal réserve les grades militaires à la seule noblesse.

1786 **L'échec de la réforme de Calonne.** Calonne, ministre de Louis XVI, imagine une « subvention territoriale » pesant sur toute terre quel qu'en soit le propriétaire. Les ordres privilégiés refusent cette égalité, tout comme ils mettent fin l'année suivante aux tentatives réformatrices de Loménie de Brienne.

1788 **Les cahiers de doléances.** Le roi convoque les états généraux qui n'ont pas été réunis depuis 1614 et demande à « connaître le souhait […] de [ses] peuples ». Chaque village, chaque corporation met par écrit ses vœux. 60 000 cahiers de doléances sont rédigés : selon leur origine, ils réclament une Constitution, la fin des privilèges seigneuriaux ou dénoncent les impôts.

Le doublement des députés du tiers état. Le banquier Necker, déjà ministre en 1781, est rappelé en août par Louis XVI. Il fait accorder au tiers état autant de députés que les deux autres ordres réunis.

1789 **La réunion des États généraux.** Le 5 mai, l'ouverture des états généraux, à Versailles, déçoit le tiers état : les réformes ne sont même pas évoquées. Le 17 juin, les députés du tiers état, constatant qu'ils représentent 98 % de la nation, se proclament Assemblée nationale. Ils affirment ainsi le principe de la souveraineté nationale.

Le serment du Jeu de paume. Le 20 juin, les députés du tiers état jurent de ne pas se séparer avant d'avoir donné une Constitution au royaume.

L'Assemblée constituante. Le 9 juillet, l'Assemblée nationale qu'ont rejointe les députés du clergé et de la noblesse, affirme devenir « constituante » : elle ne se séparera pas avant d'avoir rédigé une constitution.

LE SERMENT DU JEU DE PAUME

Cette esquisse de Jacques-Louis David (1748-1825) représente la salle où le roi et la Cour jouent au jeu de paume. Au centre, l'astronome Bailly, doyen du tiers état, lit le texte du serment. La scène est dramatisée comme sur une scène de théâtre ainsi que par la représentation d'un orage qui agite violemment les rideaux des hautes fenêtres.

■ Le 17 juin, le premier acte révolutionnaire

Les députés du tiers état plus quelques membres du clergé se proclament « Assemblée nationale ». Ils estiment représenter « l'essentiel de la nation ». Louis XVI réagit en faisant fermer leur salle et en prévoyant une séance solennelle le 23 juin.

■ La journée du 20 juin, le deuxième acte

Trouvant leur salle close, les députés se rassemblent dans la salle du Jeu de paume. Tous, sauf un, prêtent le serment solennel de ne pas se séparer avant d'avoir donné une Constitution au royaume « sur des fondements solides ».

■ Le 23 juin, la proclamation de l'Assemblée constituante

Le 23 juin, les députés, sommés de se séparer, refusent. Mirabeau aurait proclamé : « Nous sommes ici par la volonté du peuple et nous ne sortirons d'ici que part la puissance des baïonnettes ».

Le roi semble céder, invite le clergé et la noblesse à se joindre au tiers. Le 9 juillet, l'Assemblée prend le titre d'Assemblée constituante mais parallèlement, Louis XVI masse des troupes à Paris et Versailles

Le serment du Jeu de paume est un acte fondateur pour la Révolution française. Il induit la création d'un nouveau régime politique. La monarchie n'est pas supprimée mais les pouvoirs sont à redéfinir. La souveraineté est dorénavant entre les mains de la nation.

La monarchie constitutionnelle

Entre 1789 et 1792, l'équilibre instable, instauré entre monarchie et Révolution, par l'abolition de l'ancien régime social en août 1789 et illustré par la fête de la Fédération en juillet 1790, se brise avec la fuite du roi en juin 1791. La guerre extérieure devient, en 1792, un accélérateur de la Révolution. Les positions se radicalisent et mènent à la chute du roi et à la fin de la monarchie.

1789

La prise de la Bastille. Le 14 juillet, l'assaut est donné par le peuple de Paris contre la forteresse de la Bastille.

L'abolition des privilèges. Dans les campagnes, la nouvelle déformée des événements parisiens provoque la « Grande Peur » : on raconte que des brigands à la solde des nobles vont tout dévaster. Des paysans attaquent les châteaux et brûlent les titres seigneuriaux. Pour arrêter ces désordres, dans la nuit du 4 août, l'Assemblée vote, dans un moment d'enthousiasme partagé, l'abolition des privilèges.

La déclaration des droits de l'homme et du citoyen. Le 26 août, l'Assemblée adopte une déclaration qui proclame les principes de la Révolution : égalité et liberté des hommes, souveraineté de la nation.

La marche sur Versailles. Le roi semble préparer un coup de force. Les 5 et 6 octobre, la foule parisienne ramène le souverain et sa famille à Paris.

1790

La Constitution civile du clergé. Le 12 juillet, un décret précise que les évêques et les curés seront élus et devront jurer fidélité à la nation et à la loi. Cependant, depuis novembre 1789, les biens du clergé ont été confisqués. Ils servent de gage pour une monnaie de papier, les assignats.

La fête de la Fédération. Le 14 juillet, devant une foule immense, Louis XVI jure sur « l'autel de la nation » qu'il respectera la Constitution.

La fuite du roi. En fait, le roi n'a rien accepté. Le 20 juin, déguisé en bourgeois, il s'enfuit. Le 21, il est arrêté à Varennes et reconduit sous bonne garde à Paris où l'Assemblée vote sa suspension.

La fusillade du Champ-de-Mars. Le 17 juillet, la garde nationale commandée par La Fayette tire sur une foule venue réclamer la chute du roi : 50 morts. Après cette journée les révolutionnaires se divisent en modérés et en « démocrates » issus du club des Jacobins ou des Cordeliers et qui veulent poursuivre la Révolution.

L'adoption de la Constitution. Le 3 septembre, la Constitution est adoptée et le roi, qui vient d'être rétabli dans ses fonctions par l'Assemblée, jure qu'il la respectera. Le 30, l'Assemblée constituante se sépare.

1792

La patrie en danger. Sur proposition du roi qui espère ainsi rétablir son autorité, la nouvelle assemblée (l'Assemblée législative) déclare la guerre au « roi de Bohême et de Hongrie » (l'Autriche) le 20 avril. En juillet, devant l'avance rapide de l'ennemi, l'Assemblée décrète la « patrie en danger ». Le 26, dans un ultimatum, la Prusse et l'Autriche menacent de raser Paris s'il est fait violence au roi.

L'assaut des Tuileries. Le 10 août, des révolutionnaires parisiens, les sans-culottes, et des fédérés venus des départements, prennent les Tuileries. Le roi se réfugie auprès de l'Assemblée, qui le dépose et décide de l'élection au suffrage universel masculin d'une nouvelle assemblée : la Convention nationale.

LA PRISE DE LA BASTILLE

Il existe de multiples représentations de la prise de la Bastille. Cette gravure attire l'attention sur l'arrivée massive d'hommes en armes et sur l'arrestation du gouverneur à proximité de sa maison incendiée.

■■ Le refus du roi

Depuis la fin juin, Louis XVI concentre des régiments autour de Paris. Le 11 juillet, il renvoie Necker, très populaire depuis le doublement des voix du tiers. Dès le lendemain, dans les jardins du Palais-Royal, des orateurs, dont un jeune avocat, Camille Desmoulins, dénoncent la décision du roi et la menace d'un coup de force. Ils appellent le peuple aux armes pour éviter la « Saint-Barthélemy des patriotes ».

■■ Les Parisiens en armes

Le 14 juillet, le peuple pille l'hôtel des Invalides, s'empare de fusils et de canons et il marche sur la Bastille dans l'espoir d'y trouver des munitions. Cette forteresse sert de prison d'État depuis le XVIIe siècle.
À 13 h 30, une foule composée de salariés et de boutiquiers du faubourg Saint-Antoine pénètre dans la première cour de la forteresse. Les défenseurs tirent sur le peuple.

À 17 heures, le gouverneur de Launay capitule. Il est bientôt massacré et sa tête promenée au bout d'une pique.

■■ La cocarde tricolore

Le 16 juillet, Louis XVI rappelle Necker. Le 17, le roi se rend à Paris. À l'Hôtel de Ville, il reçoit des mains de Bailly, député du tiers état choisi comme maire de Paris insurgé, la cocarde tricolore. Elle unit au blanc de la monarchie le bleu et le rouge de la ville de Paris. L'ayant accrochée à son chapeau, Louis XVI est salué aux cris de : « Vive le Roi ! Vive la Nation ! »

La prise de la Bastille, symbole de la monarchie absolue, c'est la remise en cause, par le peuple, de l'arbitraire royal. Mais cette simple émeute parisienne marque aussi l'entrée des foules urbaines dans le jeu politique et dans le développement d'une révolution commencée de façon pacifique et sur un plan juridique.

La Révolution et la Terreur

La République fondée, la Convention nationale voit s'affronter en 1793 et 1794, girondins et montagnards. Le contexte est lourd : invasions étrangères et contre-révolution en Vendée. La Convention organise un gouvernement révolutionnaire auquel participe Robespierre et qui met la terreur « à l'ordre du jour ». Ce dernier veut éliminer toute opposition, ce qui provoque sa chute.

1792 **Les massacres de septembre.** Du 2 au 5 septembre, à l'appel de Marat, le peuple massacre dans les prisons de 1 200 à 1 400 captifs, des « ennemis de l'intérieur », des nobles et parents d'émigrés.

La victoire de Valmy. Le 20 septembre, à Valmy, aux frontières de l'est, les troupes révolutionnaires s'imposent face aux Prussiens.

La proclamation de la République. Le 21 septembre, la Convention abolit la royauté à l'unanimité. Le 22 septembre, elle décide de dater les actes publics de l'an I de la République.

1793 **Le procès du roi** (15-19 janvier). La mort est votée par 387 voix contre 334. Louis Capet est guillotiné le 21 janvier.

La levée en masse. L'Angleterre, la Hollande, l'Espagne, rejoignent la Prusse dans la guerre contre la France régicide. Le 24 février, la Convention décrète la levée en masse de 300 000 hommes de 18 à 40 ans pour les armées. La mesure provoque des émeutes ; la guerre civile s'ajoute à la guerre étrangère et la Vendée devient l'exemple de la contre-révolution intérieure.

La création du Comité de Salut public. Le 6 avril, le pouvoir exécutif passe entre les mains du Comité de salut public alors présidé par Danton.

L'arrestation des girondins. Du 3 mai au 2 juin, usant de la force, les sans-culottes parisiens obtiennent l'arrestation des girondins jugés trop modérés. Le montagnard Robespierre prend la tête de la Convention.

La Terreur. À cause des difficultés économiques, des revers militaires et sous la pression des sans-culottes, la Convention fixe le maximum des prix et salaires et annonce, le 5 septembre, que « la terreur est mise à l'ordre du jour ». Une loi des suspects facilite les poursuites. La reine Marie-Antoinette est décapitée le 10 septembre. Le 5 octobre, le calendrier révolutionnaire remplace le calendrier romain. Le 10 octobre, la Convention institue le « gouvernement révolutionnaire ». 21 girondins sont décapités le 31 octobre.

1794 **L'exécution des extrémistes hébertistes.** Le Comité de Salut public fait arrêter Hébert, meneur des ultra-révolutionnaires ainsi que des « enragés ». Ils sont guillotinés le 24 mars.

L'exécution des « indulgents ». C'est au tour des « indulgents » qui estiment que la Terreur doit prendre fin, d'être poursuivis. Danton, Camille Desmoulins et leurs amis sont arrêtés et guillotinés le 5 avril.

La Grande Terreur. Les robespierristes contrôlent le gouvernement révolutionnaire. Une Grande terreur est instituée en juin contre les opposants. Elle survient alors que les armées républicaines remportent des succès.

La chute de Robespierre et la fin de la Terreur. Le 27 juillet (9 thermidor), de nombreux députés, se sentant menacés, forment un front du refus. Mis en minorité, Robespierre est arrêté le lendemain et guillotiné le même jour.

Robespierre (1758-1794)
Surnommé « L'incorruptible »,
figure majeure et controversée
de la Révolution.

VALMY

Aux abords du moulin de Valmy, de jeunes guerriers volontaires commandés par le général Kellermann, repoussent l'armée prussienne.

▪️ Une audacieuse tactique face aux Prussiens

L'armée prussienne de Brunswick a remporté des victoires à Verdun et à Longwy. Le 19 septembre, les généraux français Dumouriez et Kellermann décident d'arrêter Brunswick et prennent position sur les hauteurs du moulin de Valmy. Audacieusement, le front est « renversé » : Dumouriez ouvre aux Prussiens la route de Paris mais leur coupe la route de la retraite.

▪️ Une simple canonnade

L'armée française dispose de 30 000 hommes dont de nombreux volontaires et 36 pièces d'artillerie. Les troupes prussiennes comptent 60 000 hommes et 54 bouches à feu. Le 20 septembre, sous une pluie diluvienne, la bataille se résume en une longue canonnade : plus de 30 000 boulets sont tirés. La résistance des Français, galvanisés par Kellermann qui brandit son chapeau au bout de son sabre en leur faisant crier « Vive la nation ! », surprend les Prussiens qui opèrent un repli.

▪️ Une immense victoire psychologique

La bataille fait peu de victimes : 300 Français et 184 Prussiens, par ailleurs décimés par la dysenterie. Mais les troupes françaises montrent alors une détermination à laquelle l'ennemi ne s'attendait pas. Valmy devient immédiatement le symbole de la victoire héroïque du peuple en armes groupé derrière l'étendard de la liberté. Elle est une victoire politique et surtout psychologique immense, la première de la République.

> À Valmy, face à la puissante armée prussienne, la Révolution est sauvée par la fougue des bataillons de jeunes volontaires. Simple canonnade pour certains, Valmy est la première victoire des armées de la France révolutionnaire. En incarnant l'image de la démocratie en armes, Valmy constitue un des premiers mythes républicains.

Les symboles de la République. La victoire de Valmy s'accompagne, le lendemain, de la proclamation de la République.

Le Directoire : la République des « propriétaires »

Le régime politique mis en place après la chute de Robespierre, le Directoire, s'appuie sur les acquis de 1789 : liberté économique, défense de la propriété, régime censitaire. Il doit faire face à une double opposition jacobine et royaliste. Il fait appel à l'armée qui prend ainsi de l'importance dans la vie politique. Bonaparte, un jeune général très populaire depuis ses succès en Italie, s'empare du pouvoir par le coup d'État du 18 brumaire.

1795 **Les dernières journées populaires.** Le 20 mai, la troupe désarme les sans-culottes en révolte contre la hausse des prix.

Un débarquement royaliste à Quiberon. Réalisé en juin avec l'aide des Anglais, un débarquement de royalistes émigrés est anéanti le 20 juillet.

Une émeute royaliste à Paris. Le 5 octobre (13 vendémiaire), les royalistes tentent un coup de force à Paris. Le décret des deux tiers leur a enlevé l'espoir d'être députés : deux tiers des membres de la nouvelle assemblée seront obligatoirement des conventionnels. Le jeune général Bonaparte écrase l'insurrection.

La mise en place du Directoire. Le 26 octobre, la Convention fait place au Directoire. Le pouvoir exécutif revient à cinq directeurs dont Carnot et Barras.

1796 **L'arrestation des babouvistes à Paris.** Le 10 mai, Gracchus Babeuf, chef des Égaux, est arrêté. Jacobin ultra, il réclame la propriété collective du sol. Il est guillotiné avec d'autres babouvistes en mai 1797.

1797 **Le coup d'État contre les royalistes et le second Directoire.** Le 4 septembre, trois directeurs annulent l'élection des députés royalistes et destituent deux directeurs trop favorables à ces idées.

Le traité de Campoformio. Après les brillantes victoires de Bonaparte à Castiglione, Arcole, Rivoli et Mantoue, la France signe la paix avec l'Autriche le 18 octobre et annexe la Belgique et la rive gauche du Rhin. Ces succès assurent des rentrées d'argent.

1798 **Le coup d'État contre les néojacobins.** Le 11 mai, les directeurs annulent l'élection des derniers représentants jacobins jugés trop « à gauche ».

L'expédition d'Égypte. Le 19 mai, Bonaparte s'embarque pour l'Égypte. Il s'agit de couper la route des Indes à l'Angleterre. Vainqueur aux pyramides, Bonaparte ne peut empêcher la destruction de la flotte française à Aboukir.

L'organisation de la conscription. Le 5 septembre, la loi Jourdan instaure le service militaire obligatoire avec tirage au sort des conscrits.

1799 **Le coup d'État de Sieyès et le troisième Directoire.** Le 18 juin, s'appuyant sur certains députés et sur l'armée, le directeur Sieyès oblige trois de ses collègues à démissionner.

Le coup d'État des 18 et 19 brumaire (9-10 novembre). Sous la pression des troupes de Paris, commandées par Bonaparte, le Directoire est aboli. Les directeurs sont remplacés par trois consuls dotés des pleins pouvoirs : Sieyès, Ducos et Bonaparte. Les trois consuls promettent de respecter les principes de 1789 et de rétablir la paix.

LES ACQUIS DE LA RÉVOLUTION

Le paysan après l'abolition des privilèges, fin 1789.

■ L'Unité de la nation

La Révolution contribue à uniformiser la nation. Quatre-vingt-trois départements remplacent l'enchevêtrement des innombrables subdivisions territoriales de la France des rois.

La suppression des douanes intérieures fait du territoire national un marché unifié permettant la multiplication des échanges.

L'instauration d'un système métrique remplace la diversité des poids et mesures jusque-là utilisés dans les provinces.

L'unité des poids et mesures : le litre, le kilogramme et le mètre. Institué en 1795 pour remplacer les huit cents mesures existant alors en France, le système métrique met plusieurs décennies à s'imposer.

■ La fin des privilèges

La Déclaration des droits de l'homme et du citoyen adoptée le 26 août 1789 supprime les bases de la société de l'Ancien Régime. Elle abolit les privilèges et proclame l'égalité des droits entre tous les hommes. Elle garantit le libre accès de tous à tous les emplois. Elle met aussi en place les libertés individuelles et la tolérance envers toutes les opinions même religieuses. Elle garantit également la propriété privée.

■ La souveraineté du citoyen

Avant 1789, le pouvoir politique appartient au roi seul. Avec la Révolution, la politique devient, en principe, la chose de tous : l'homme n'est plus un sujet, il est citoyen. Et les citoyens réunis constituent la nation. Ils délèguent pour un temps par le suffrage censitaire ou universel leur pouvoir à des représentants élus. Il n'existe pas de pouvoir supérieur à celui de la nation mais dans celle-ci les femmes ont encore un statut inférieur et ne peuvent voter.

> La France de la Révolution jette les fondements de la France contemporaine tant dans son organisation administrative que dans les valeurs qu'elle défend. L'universalité des principes alors proclamés nourrit le prestige de la France et lui confère l'image de la patrie des droits de l'homme et de la liberté.

Du Consulat à l'Empire

Premier consul, consul à vie, empereur sous le nom de Napoléon Ier : c'est par étapes que Bonaparte installe un pouvoir personnel, autoritaire et héréditaire. En réorganisant l'administration, la justice et les finances, il crée un État moderne et centralisé. En négociant le Concordat, il fait la paix avec l'Église. Avec le Code civil, il consolide la société bourgeoise.

1800 **La Constitution de l'an VIII** (25 janvier). Préparée à la suite du coup d'État, ratifiée par plébiscite, elle concentre la réalité du pouvoir entre les mains de Bonaparte, nommé Premier consul. L'une des premières tâches du Consulat est de centraliser l'administration (préfets), la justice et les finances, et de donner au pays une Banque centrale : la Banque de France (13 février).

1801 **Le traité de Lunéville** (9 février). Les victoires de Bonaparte à Marengo et de Moreau en Allemagne forcent l'Autriche à signer un traité par lequel elle reconnaît à la France la rive gauche du Rhin.

Le Concordat (15 juillet). Pour rétablir la cohésion sociale, Bonaparte négocie le Concordat avec le pape Pie VII. Le gouvernement nomme les évêques, verse un traitement au clergé et reçoit son serment de fidélité. Le culte catholique n'est plus « religion d'État » mais demeure la « religion de la majorité des Français ».

1802 **La paix d'Amiens** (25 mars). Après dix ans de guerre, l'Angleterre, menacée par une crise, signe la paix avec la France.

La légion d'honneur. Elle est instaurée le 19 mai pour récompenser des services civils ou militaires.

L'esclavage (20 mai). Il est rétabli en Martinique et dans les colonies de l'océan Indien.

La Constitution de l'an X (4 août). La paix retrouvée permet à Bonaparte d'achever l'établissement de son pouvoir personnel par le Consulat à vie.

1803 **Le franc germinal** (28 mars). La confiance revenue permet d'établir (loi du 7 germinal an XI) une nouvelle monnaie : le franc germinal (de 5 g d'argent). Il restera stable jusqu'en 1914 !

1804 **Le Code civil** (promulgué le 21 mars). Il respecte les principes de 1789, proclame les libertés d'entreprise et de concurrence, chères à la bourgeoisie. Celle-ci devient le support du régime, qui garantit également les paysans contre le retour du système seigneurial.

La Constitution de l'an XII établit l'Empire (18 mai). La reprise de la guerre par l'Angleterre et l'échec d'un nouveau complot royaliste permettent à Bonaparte de renforcer encore son pouvoir. Il devient après plébiscite Napoléon Ier, empereur des Français ; la dignité impériale est proclamée héréditaire.

Le sacre (2 décembre). Il a lieu à Notre-Dame de Paris en présence du Pape Pie VII. Napoléon Ier se veut un nouveau Charlemagne. Il se couronne lui-même, montrant que son pouvoir ne vient pas de l'Église. Puis il couronne Joséphine, épousée religieusement la nuit précédente. Enfin, en l'absence du Pape, il jure sur les Évangiles fidélité aux acquis de la Révolution.

UNE NOUVELLE ORGANISATION DU PAYS

◼️ La société bourgeoise nouvelle est stabilisée

Le Code civil confirme l'abolition des privilèges, consacre le droit de propriété, renforce l'autorité du père au sein de la famille, celle du patron sur l'ouvrier. Il fait de la femme mariée une éternelle mineure. En cas de conflit, le patron est cru sur sa simple affirmation. Soumis à l'obligation du livret – qui subsistera jusqu'en 1890 –, sans droit d'association ni de grève, les ouvriers sont traités en suspects par le Code pénal. Le cadastre – dressé pour répartir la contribution foncière – confirme la cession des biens nationaux au profit de la paysannerie aisée, de la grande et moyenne bourgeoisie ainsi que d'hommes d'affaires avisés.

Le code civil se compose de 36 lois réunies le 30 ventôse an XII (21 mars 1804). Il mêle lois et coutumes d'Ancien Régime, lois révolutionnaires et lois nouvelles.

◼️ L'héritage révolutionnaire est en partie conservé

Pour former une élite docile et efficace capable de diriger la France, Bonaparte remplace les écoles centrales par les lycées (1802). L'Empereur fonde l'université impériale (1806) et lui reconnaît le monopole de l'enseignement. Contrôlés et payés par l'État, ses professeurs doivent former les militaires et les hauts fonctionnaires.

Le concordat de 1801 – qui ne disparaîtra qu'en 1905, excepté en Alsace où il demeure en vigueur – met le clergé sous le contrôle du gouvernement, redonne un statut officiel à l'Église mais ne refait pas du catholicisme une religion d'État.

◼️ L'unité du territoire et de la nation est consolidée

Tandis que la création de la Légion d'honneur, en 1802, a pour but de récompenser les meilleurs serviteurs de l'État, pour diriger et gérer la France, Bonaparte fait confiance à une administration hiérarchisée. Celle-ci est composée de fonctionnaires nommés, payés et contrôlés par le pouvoir central. À la tête du département, le préfet ne dépend que du gouvernement. Au-dessous du préfet, ce sont les échelons d'une administration hiérarchisée où tout est rattaché à Paris. Cette structure centralisée perdure jusqu'à la loi de mars 1982.

Les grands ensembles de lois du Consulat et de l'Empire vont entériner, pour longtemps, les changements essentiels hérités des dix années révolutionnaires.

Un sous-préfet en costume : institués le 28 pluviôse an VIII (17 février 1800), les préfets sont nommés par Bonaparte et ne dépendent que de lui. Ce sont les principaux agents de la centralisation.

L'Empire napoléonien

De 1805 à 1807, Napoléon Ier vainc l'Autriche, la Prusse et la Russie. Mais, pour imposer le blocus économique de l'Angleterre, il tombe dans le « guêpier espagnol » et doit asservir toute l'Europe. Celle-ci se coalise contre lui et, après la retraite de Russie, l'exile à l'île d'Elbe. L'Empereur s'en échappe et, pour cent jours, reprend le pouvoir... jusqu'à la défaite de Waterloo et l'exil définitif.

1805   **Trafalgar** (21 octobre). L'amiral Nelson détruit la flotte française à Trafalgar. Sa victoire assure à l'Angleterre la maîtrise des mers.

Austerlitz (2 décembre). Le jour anniversaire de son sacre, Napoléon écrase les armées austro-russes. L'Autriche signe la paix ; elle est chassée d'Italie.

1806   14 octobre. À Iéna, Napoléon défait l'armée prussienne de Frédéric-Guillaume III.

1807   **Tilsit** (7 juillet). Napoléon, au sommet de sa puissance, se réconcilie avec le tsar Alexandre Ier. Auparavant, les Russes ont été vaincus à Eylau et à Friedland. La Prusse perd la Westphalie, érigée en royaume au profit de Jérôme Bonaparte.

La création de la noblesse impériale. Un décret du 1er mars, inspiré des titres de l'Ancien Régime, crée la noblesse de l'Empire.

1808   **Le Blocus continental.** Pour étouffer le commerce anglais, Napoléon a décrété le Blocus continental (21 novembre 1806). Tout commerce avec les îles Britanniques est interdit. Pour rendre ce blocus efficace, il est conduit à imposer son autorité à toute l'Europe. En juin 1808, il engage l'expédition d'Espagne qui use les forces de l'Empire.

1809   **La victoire de Wagram** (5 juillet). L'Autriche reprend les armes. Vaincue à Wagram, elle cède les Provinces Illyriennes sur la côte adriatique. Marie-Louise, 19 ans, fille de François Ier, l'empereur d'Autriche, épouse Napoléon Ier le 2 avril 1810.

1811   **Le Grand Empire.** Il atteint son extension maximale en Europe.

Mais une crise économique menace. L'Europe asservie se réveille. La Prusse prend la tête du mouvement national allemand et reconstitue son armée.

1812   **La campagne de Russie.** L'alliance de Tilsit est rompue. Napoléon envahit la Russie à la tête d'une « armée des 20 nations » de 700 000 hommes. Maître de Moscou, il ordonne cependant la retraite. Le froid, la faim, les harcèlements des cosaques déciment la Grande Armée : plus de 200 000 tués, et des dizaines de milliers de blessés ou prisonniers restent en Russie !

1814   **L'Europe entière se coalise contre l'Empereur.** Vaincu à Leipzig, il doit évacuer l'Allemagne. Le 6 avril, Napoléon, qui n'a pas pu empêcher l'invasion de la France, abdique. Les rois coalisés lui attribuent l'île d'Elbe. Louis XVIII, frère de Louis XVI, devient roi de France.

1815   **Les Cent-Jours** (20 mars-22 juin). S'échappant de l'île d'Elbe, Napoléon rentre en France et réussit à reprendre le pouvoir. Le roi Louis XVIII s'enfuit à Gand.

Waterloo (18 juin). Vaincu à Waterloo, Napoléon abdique le 22 juin et se rend aux Anglais, qui l'exilent à Sainte-Hélène, où il meurt le 5 mai 1821.

LES CONQUÊTES NAPOLÉONIENNES

Sur le champ de bataille d'Austerlitz, le général Rapp apporte à Napoléon les drapeaux pris à l'ennemi. Le froid est glacial mais le soleil s'est levé.

La Grande armée

Elle est l'instrument de la victoire. La Garde impériale constitue un corps d'élite dont le dévouement à l'Empereur est sans faille. La majorité des troupes provient de la conscription (2,2 millions d'hommes entre 1804 et 0814) et des levées sur les pays occupés.

Austerlitz

Le 2 décembre 1805, jour anniversaire du sacre, Napoléon écrase les Austro-Russes. Le génie militaire de l'Empereur repose sur l'offensive et la mobilité des troupes. Il choisit ainsi son terrain et le moment de la bataille comme à Austerlitz.

Le Grand Empire

La France jusqu'au Rhin, agrandie des Pays-Bas et des provinces illyriennes, est le cœur du système. Les États satellites comme l'Espagne ou le royaume de Naples sont confiés à des parents ou des proches de l'empereur, les pays alliés tel la Prusse sont parfois occupés militairement. Les pillages économiques et culturels suscitent des résistances, ainsi la guérilla en Espagne.

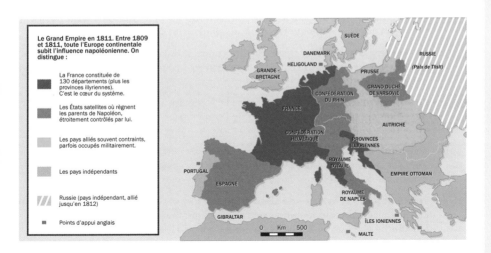

Le Grand Empire en 1811. Entre 1809 et 1811, toute l'Europe continentale subit l'influence napoléonienne. On distingue :

La France constituée de 130 départements (plus les provinces illyriennes). C'est le cœur du système.

Les États satellites où règnent les parents de Napoléon, étroitement contrôlés par lui.

Les pays alliés souvent contraints, parfois occupés militairement.

Les pays indépendants

Russie (pays indépendant, allié jusqu'en 1812)

Points d'appui anglais

De Bonaparte à Napoléon Ier

Général jacobin né de la Révolution, Bonaparte apparaît peu à peu comme celui qui peut ramener l'ordre mais aussi consolider les conquêtes de la Révolution. Son exceptionnel destin, la réputation guerrière et dictatoriale de « l'ogre de Corse », la grandeur et l'unité d'un État centralisé et fort qu'il a su créer, font de Napoléon une des principales figures de l'histoire de France.

1769 **La naissance en Corse**. Napoléon est né à Ajaccio le 15 août. Il est le deuxième fils (sur treize enfants), de Carlo Maria Buonaparte, avocat et de Maria Letizia Ramolino ; sa famille est de petite noblesse corse.

1779 - 1786 **Les années d'école militaire**. Au collège de Brienne puis à l'école militaire de Paris, Napoléon fait l'apprentissage des armes. En 1788, il est nommé sous-lieutenant d'artillerie. La mort de son père l'a fait devenir soutien de sa famille.

1793 **Le siège de Toulon.** Acquis aux idées des montagnards et ayant renoncé aux combats nationalistes en Corse, il se distingue au siège de Toulon contre les Anglais. Il devient général de brigade. Il est arrêté et emprisonné quelques semaines après le 9 thermidor.

1795 **La journée du 13 vendémiaire**. Il sauve la Convention d'une insurrection royaliste. Il épouse Joséphine de Beauharnais (9 mars 1796) et reçoit le commandement de l'armée d'Italie (1796-1797). Ses succès lui amènent une très grande popularité que n'entame pas l'expédition d'Égypte (1798), entre succès et revers.

1799 **Le coup d'État du 18 brumaire an VIII.** Le Directoire est renversé. Bonaparte est nommé premier Consul et devient Consul à vie en 1802. Les acquis de la Révolution sont consolidés dans un sens favorable à la bourgeoisie ; la France est réorganisée : Concordat, Banque de France, Code civil, lycées, légion d'honneur…

1804 **Napoléon empereur.** Par sénatus-consulte du 18 mai, approuvé par plébiscite, Napoléon devient Empereur des Français. Il est sacré le 2 décembre.

1805 **La victoire d'Austerlitz.** Cette bataille contre la Russie et l'Autriche consacre ses qualités stratégiques. Jusqu'en 1812, Napoléon est maître de l'Europe, dont il remodèle une grande partie.

1810 **Le second mariage** (2 avril). Ayant répudié Joséphine qui ne lui a pas donné d'enfant, Napoléon épouse Marie-Louise, fille de l'empereur d'Autriche. L'année suivante naît un héritier, le Roi de Rome.

1814 **La première abdication.** La Campagne de Russie (1812) a marqué le début du déclin. Napoléon est vaincu par les coalitions, les résistances nationalistes. Il abdique le 4 avril et est exilé à l'île d'Elbe au large de la Toscane.

1815 **Les Cent Jours et la seconde abdication.** Napoléon s'enfuit de l'île d'Elbe, débarque en Provence mais son retour au pouvoir ne dure que cent jours. Vaincu à Waterloo (18 juin), il abdique le 22 juin et est exilé à Sainte-Hélène au large de l'Afrique.

1821 **La mort de Napoléon.** Après des années d'un dur exil sous la garde des Anglais, Napoléon meurt le 5 mai 1821.

LA LÉGENDE NAPOLÉONIENNE

Napoléon Ier sur le trône impérial, en costume de sacre, peint par Ingres en 1806

juillet, au moment du retour des cendres depuis Sainte-Hélène et de la mise au tombeau aux Invalides en 1840.

▖▘ La pérennisation du mythe

La littérature, les beaux-arts, le cinéma, la musique, la BD entretiennent la légende jusqu'à nos jours. Celle-ci peut être « dorée », inspirer les critiques (Napoléon est-il le continuateur ou le « fossoyeur » de la Révolution ?) ou même le rejet envers « l'ogre ».

> **Lui !**
> Toujours lui ! Lui partout !
> – Ou brûlante ou glacée,
> Son image sans cesse ébranle ma pensée.
> Il verse à mon esprit le souffle créateur.
> Je tremble, et dans ma bouche abondent les paroles
> Quand son nom gigantesque, entouré d'auréoles,
> Se dresse dans mon vers de toute sa hauteur.
>
> Victor Hugo (1802-1885), *Lui*.

▖▘ La construction de la légende

Dès la première campagne d'Italie en 1797 et jusqu'à sa mort, Napoléon Ier a lui-même construit sa légende à travers les bulletins, les journaux, les dessins et tableaux. Le *Mémorial de Sainte-Hélène* de Las Cases, paru en 1823 (en fait œuvre de Napoléon lui-même) relance et conforte le mythe.

▖▘ Le culte de Napoléon

À partir du sacre, Napoléon fait l'objet d'un culte quasi-religieux. Le 15 août, jour anniversaire de l'Empereur, on fête la saint Napoléon. Ce culte revient en force sous la Monarchie de

Des monuments perpétuent aussi la gloire napoléonienne. L'arc-de-triomphe à Paris a été voulu par l'empereur lui-même en 1806, afin d'immortaliser le souvenir des victoires des armées françaises.

La Restauration

Le roi Louis XVIII, frère de Louis XVI, octroie une Charte qui accorde le suffrage universel, garantit le droit de propriété et maintient les principes de 1789 de liberté et d'égalité. Cependant, profitant de l'arrivée au pouvoir de son successeur et frère Charles X, les royalistes « ultras » croient le moment venu d'une restauration de l'Ancien Régime. Leurs tentatives provoquent la révolution parisienne de juillet 1830.

1815 **La Charte.** Louis XVIII rentre à Paris (8 juillet). La « charte octroyée à ses sujets » (1814) reconnaît les principes de liberté, d'égalité et de propriété (y compris pour les biens nationaux) et instaure le suffrage censitaire.

La Terreur blanche. Bourgeois protestants, républicains et bonapartistes, à Avignon, Nîmes et Toulouse, sont victimes des représailles catholiques et royalistes.

Le traité de Paris (20 novembre). Conclu lors du Congrès de Vienne, il impose à la France une lourde indemnité de guerre : une occupation militaire. La France est ramenée à ses frontières de 1790 (perte de la Savoie).

1818 10 mars. La loi Gouvion-Saint-Cyr conserve la conscription des hommes de 20 ans, reconnus aptes, pour un service militaire de sept ans, mais permet à celui qui a tiré « le mauvais numéro » de se payer un remplaçant s'il le peut.

1820 **La politique réactionnaire.** Le duc de Berry, neveu de Louis XVIII, est assassiné le 13 février. En réaction sont votées des mesures réclamées par les ultraroyalistes : censure des journaux et loi du double vote, qui permet aux plus riches de voter deux fois.

1824 **L'avènement de Charles X.** 16 septembre, mort de Louis XVIII, dont le règne aura oscillé entre libéralisme et absolutisme. Son frère, Charles X, lui succède.

1825 **Le « milliard des émigrés ».** La loi du 27 avril prévoit de verser aux anciens propriétaires de biens nationaux 630 millions de francs de rente, ce qui scandalise l'opposition bourgeoise libérale.

29 mai. Renouant avec la tradition monarchique, Charles X se fait sacrer à Reims, manifestant ainsi l'alliance « du Trône et de l'Autel ».

1830 16 mai. La Chambre des députés est dissoute par le roi, qui répond ainsi à une velléité d'indépendance. En juillet, alors que commence la conquête de l'Algérie, de nouvelles élections ont lieu qui renforcent l'opposition libérale.

Les ordonnances (25 juillet). Charles X et son ministre le prince de Polignac tentent un coup de force. Le roi signe quatre ordonnances par lesquelles il interdit la liberté de la presse, dissout la Chambre, modifie la loi électorale en élevant le cens et ajourne jusqu'en septembre l'élection de la nouvelle assemblée.

Les Trois Glorieuses (27, 28, 29 juillet). En trois jours d'émeutes, bourgeois, ouvriers et compagnons parisiens obligent Charles X à abdiquer et à s'exiler. Proposée par Thiers, avocat, journaliste et historien, favorable à une monarchie à l'anglaise, la candidature du duc d'Orléans, cousin du roi, est retenue. Louis-Philippe Ier devient « roi des Français ». Hommes du peuple et bourgeois libéraux ont combattu côte à côte… Mais ces derniers se sont approprié la Révolution.

LA CONQUÊTE DE L'ALGÉRIE

◼️ La « régence d'Alger »

Jusqu'en 1830, Alger fait partie de l'Empire turc. Le dey – élu par l'aristocratie locale – dirige Alger et sa banlieue. Le reste du territoire est divisé entre trois beylicats : Oran, Médéa, Constantine. La population est formée d'éléments très divers : fellahs de la montagne, tribus semi-nomades, bourgeois maures des villes, minorité juive qui assure le commerce des grains par l'intermédiaire des colonies juives de Marseille.

◼️ Les incidents diplomatiques

La France doit une fourniture de blé restée impayée depuis le Directoire. Le 29 avril 1827, au cours d'une discussion concernant cette dette, le dey Hussein s'emporte et frappe le consul Deval de trois coups de chasse-mouches. La France exige réparation mais se limite à un blocus inefficace. En août 1829, nouvel affront : la frégate *La Provence* essuie le feu des batteries d'Alger ; le ministère Polignac est en butte à une telle impopularité dans le pays que l'affaire d'Alger s'offre à lui pour redorer son blason. Le commandement de l'expédition est confié au très impopulaire Louis de Bourmont, ministre de la Guerre, ancien émigré.

◼️ La prise d'Alger

Le 25 mai 1830, 37 000 hommes portés par 675 navires, dont 103 vaisseaux de guerre, partent de Toulon. Le corps expéditionnaire débarque le 14 juin à Sidi-Ferruch, à 27 km à l'ouest d'Alger. Le 19, le camp de Staouëli est emporté. Le 4 juillet, le fort Empereur, qui défend Alger vers le sud-est, est bombardé. Le 5, le dey Hussein capitule et part en exil à Naples. Dès le 23 juillet, les représentants des tribus algériennes refusent de faire leur soumission. La conquête de l'Algérie ne fait que commencer. Elle sera, dans les années 1840, marquée par des atrocités. La colonisation se fera par expropriation des Algériens, occupation des biens religieux et des terres incultes.

L'expédition d'Alger, dont les conséquences sur la politique méditerranéenne et africaine de la France allaient être essentielles, a un double but : faire oublier la politique réactionnaire du régime par une intervention prestigieuse à l'étranger ; et trouver des débouchés pour le commerce de Marseille, alors en pleine décadence. Le premier but est manqué, le second, réussi.

Dans cette aquarelle de Théodore Leblanc, 1830, Investiture du bey du Titteri par Clauzel, le comte Bertrand Clauzel, gouverneur général de l'Algérie, donne l'investiture au bey du Titteri (capitale, Médéa), Mustapha-bou-Mezrag. Celui-ci reconnaît le roi de France comme son souverain et s'engage à lui payer les tributs coutumiers.

Louis-Philippe Ier et la monarchie de Juillet

Louis-Philippe roi des Français adopte une Charte proche de celle de 1814, qui élargit un peu le corps électoral. Malgré divers soulèvements sociaux, le « roi bourgeois » se maintient grâce à la prospérité qui profite à la bourgeoisie libérale. Mais une crise économique renforce les oppositions ; une nouvelle révolution parisienne oblige Louis-Philippe à abdiquer.

1831 **L'élargissement du cens** (18 avril). La loi modifie légèrement la Charte de 1814 : il faut payer 200 francs d'impôt direct (au lieu de 300) pour être électeur, 500 francs (au lieu de 1 000) pour être élu. Le nombre d'électeurs passe de 95 000 à 170 000.

La révolte des Canuts (22 novembre-5 décembre). 40 000 ouvriers de la soie se rendent maîtres des quartiers ouvriers de Lyon. Leur devise : « Vivre en travaillant ou mourir en combattant », inquiète. Le maréchal Soult s'empare de la ville, désarme les insurgés, établit une garnison de 11 000 hommes.

1832 **La crise économique.** Née en 1827, elle se prolonge avec son cortège de misère et de chômage. La dernière épidémie de choléra se répand dans les villes industrielles (Lille, Rouen…) ; à Paris, elle fait plus de 18 000 morts.

1835 **La censure** (28 juillet). L'attentat de Fieschi (18 morts, 22 blessés) contre le roi échoue ; il sert de prétexte au vote des lois contre la presse républicaine. Dans l'immédiat, elles font disparaître quelque 30 journaux.

1840 **L'œuvre de Guizot.** Le ministère Soult – dirigé en fait par Guizot, auteur, en 1833, d'une loi sur l'enseignement primaire – est constitué après une période d'instabilité : quinze ministères en dix ans ! Guizot est servi par le retour à la prospérité. L'expansion économique profite aux propriétaires, aux industriels et aux banquiers. Mais en politique, il pratique l'immobilisme en rejetant tout projet sur un abaissement du cens électoral.

1842 **La loi sur les chemins de fer** (17 juin). Elle laisse à l'État les infrastructures (ballast, emplacement des rails) et l'expropriation des terrains, aux compagnies privées, l'exploitation des lignes (matériel et personnel).

1846 Août. Les électeurs censitaires (240 000 sur 34 millions d'habitants) donnent à Guizot une majorité cohérente reposant sur 291 des 459 élus.

1847 **La nouvelle crise économique.** Mauvaises récoltes, mévente des produits industriels provoquent faillites et chômage. Paysans, ouvriers et bourgeois sont mécontents. L'opposition y compris républicaine s'enhardit, brave la censure en organisant une campagne des banquets où les participants demandent des réformes.

1848 **La Campagne des banquets.** À Paris, un gigantesque banquet de protestation prévu contre le régime est interdit. Le 22 février, la foule manifeste. Le 23, le roi renvoie Guizot. Mais, boulevard des Capucines, la troupe tire sur les manifestants (52 morts). Paris se couvre de barricades. Le 24, Louis-Philippe abdique ; le 25, la République est officiellement proclamée.

LA RÉVOLTE DES CANUTS

▚ Les ouvriers de la soie

Les canuts sont les ouvriers de la soie à Lyon. La fabrication des soieries se fait dans de petits ateliers familiaux. On compte en 1830 environ 8 000 maîtres-artisans. Les journées de travail sont longues (15 à 18 heures) ; la rémunération par les soyeux (par les fabricants-négociants), se fait à la pièce et est irrégulière. Il n'y a pas de syndicats (la loi Le Chapelier et le décret d'Allarde de 1791 ont supprimé les associations professionnelles).

▚ La révolte de 1831 (21 novembre-5 décembre)

L'objectif de la grève qui est déclenchée est d'obtenir un tarif. Les canuts se heurtent à la Garde nationale et à l'armée mais parviennent à occuper tout le centre de Lyon. Ils constituent un Comité exécutif à l'Hôtel de ville. Cependant, des troupes commandées par le duc d'Orléans et le maréchal Soult investissent Lyon sans résistance le 3 décembre. On compte près de 600 morts mais la plupart des hommes arrêtés sont acquittés.

▚ La révolte de 1834 (9-15 avril)

La révolte est déclenchée par la crainte de voir supprimer les associations. Elle revêt aussi un caractère républicain. Les quartiers populaires de Lyon (Croix-Rousse…) se couvrent de barricades. La répression impitoyable est menée par Thiers, c'est la « sanglante semaine ». On compte 200 morts civils et des condamnations à la prison ou à la déportation.

> Les révoltes des canuts comptent parmi les premières révoltes sociales de l'ère préindustrielle. Elles constituent une référence pour le mouvement ouvrier.

Horrible massacre à Lyon, 9 avril 1834

L'image, imprimée à Belfort, montre la violence des combats. Les drapeaux tricolores se retrouvent face à face dans les deux camps mais on distingue aussi au fond un drapeau rouge.

La IIe République

Accueillie dans l'enthousiasme, la IIe République proclame les libertés fondamentales et adopte une nouvelle Constitution. La bourgeoisie, affolée par les troubles sociaux, fait corps avec les monarchistes pour élire une Assemblée législative conservatrice et un président de la République bonapartiste. Celui-ci, par le coup d'État du 2 décembre 1851, prolonge son mandat de dix ans... puis, le 2 décembre 1852, rétablit l'Empire.

1848

La victoire des conservateurs (avril). Dans une France essentiellement paysanne, encadrée par clergé, châtelains, notables, le suffrage universel masculin donne la victoire aux modérés et aux conservateurs. Les partisans de la République sociale, présentés comme des « partageux », sont battus : 100 sur 880 députés à la Constituante.

Les journées de juin (23-26 juin). Les Ateliers nationaux, destinés à fournir du travail aux chômeurs mais devenus un foyer d'agitation sociale, sont supprimés. Le 23, les ouvriers se soulèvent. Le général Cavaignac écrase l'insurrection ; 15 000 insurgés sont déportés en Algérie. Le mouvement ouvrier est décimé.

L'élection de Louis Napoléon Bonaparte. La nouvelle Constitution établit un régime présidentiel. Le 10 décembre, Louis Napoléon Bonaparte est élu président de la République avec 75 % des voix. Neveu de l'Empereur, il a bénéficié de la légende napoléonienne dans les campagnes ; soutenu par Thiers et le « parti de l'ordre », il rallie ceux qui craignent « les rouges ». Élu pour 4 ans, il n'est pas rééligible.

1849

13 mai. Sur les 750 députés élus à l'Assemblée législative, 500 sont des conservateurs, monarchistes pour la plupart, qui vont voter des mesures réactionnaires.

1850

La loi Falloux sur l'enseignement (15 mars). Elle donne aux religieux toute facilité pour enseigner. Pour prévenir tout retour du danger révolutionnaire, l'influence de l'Église sur l'enseignement est renforcée.

La loi électorale (31 mai). Elle supprime de fait le suffrage universel. Elle impose notamment aux électeurs trois ans de résidence continue, ce qui exclut les ouvriers, contraints à de fréquents déplacements. Le nombre d'électeurs passe de 9 600 000 à 6 800 000.

1851

Le Président soutient la politique de réaction de l'Assemblée conservatrice puis prend des distances à son égard. Au peuple, il assure souhaiter des réformes sociales et propose le rétablissement du suffrage universel. Aux partisans de l'Ordre, il fait craindre l'anarchie à la fin de son mandat, en mai 1852.

Le coup d'État (2 décembre). Louis Napoléon organise un coup d'État qui lui permet de prolonger son mandat présidentiel de dix ans. Les mouvements de résistance républicaine, plus nombreux en province, sont réprimés massivement.

21 décembre. Un plébiscite ratifie la prise du pouvoir par la force (7 340 000 oui, 646 000 non, 1 500 000 abstentions). La nouvelle Constitution donne les plus larges pouvoirs au Président.

1852

Le second Empire. Il est officiellement proclamé le 2 décembre. Les voyages et les discours du « Prince-Président » ont préparé l'opinion. Le Sénat, entièrement nommé par Louis Napoléon, a accepté la révision de la Constitution, ratifiée par plébiscite. Louis Napoléon devient Napoléon III.

LA RÉPUBLIQUE PROCLAMÉE

◼ La République tricolore et démocratique

Le 24 février, un gouvernement provisoire de onze membres est formé par acclamations. Il comprend des républicains modérés (Lamartine, Ledru-Rollin…) et des candidats plus radicaux, tels le socialiste Louis Blanc et, nouveauté, un ouvrier, Albert. Le 25 février, le gouvernement provisoire proclame la République. Lamartine, qui en a pris la tête, fait adopter le drapeau tricolore. Le suffrage universel (pour les hommes) est établi.

◼ La République sociale

Sous la pression populaire, le gouvernement doit aller plus loin. Le droit au travail est affirmé. Pour garantir ce droit, des ateliers nationaux sont créés. Il s'agit, en fait, d'ateliers de charité employant les chômeurs de Paris – puis bientôt ceux de province, qui affluent – à des travaux de terrassement. La journée de travail en usine est limitée à dix heures.

◼ La République fraternelle

La peine de mort est abolie en matière politique. En février 1848, l'optimisme bon enfant des foules est la note dominante : les prêtres bénissent les arbres de la Liberté que l'on plante pour célébrer l'installation de la République. La liberté totale de presse et de réunion est proclamée. On assiste à une floraison de clubs et de journaux. Victor Schoelcher fait abolir l'esclavage aux colonies.

Née sur les barricades parisiennes, désirée par des gens chaleureux et convaincus, bourgeois et ouvriers, la IIᵉ République s'avère à ses débuts idéaliste et généreuse. Les hommes du gouvernement provisoire se passionnent pour le bien public… mais n'ont aucune expérience du pouvoir. L'élan lyrique se heurte rapidement à la crise économique et à l'agitation politique persistante.

Dans ce tableau de Henri Philippoteaux, Lamartine repousse le drapeau rouge à l'Hôtel de Ville le 25 février 1848.

Par son éloquence, il fait adopter le drapeau tricolore qui « a fait le tour du monde avec le nom, la gloire et la liberté de la patrie ».

Le Second Empire : l'empire autoritaire

Napoléon III appuie son régime autoritaire et personnel sur une administration préfectorale docile, une police omniprésente, qui contrôle étroitement la presse, les réunions et les opposants. La bourgeoisie se satisfait du contexte favorable aux affaires, mais la paysannerie est la vraie base du régime.

1852   9 octobre. Le discours de Bordeaux lance la modernisation économique.
25 décembre. Un sénatus-consulte accroît les pouvoirs personnels de Napoléon III.

1853   **Des Français sous contrôle.** 6 153 victimes de la répression restent en prison ou sont déportées. L'autorité du préfet, étroitement soumis au pouvoir, ne cesse de grandir. La vie politique est surveillée par une police omniprésente, qui contrôle la correspondance, les réunions. La presse est muselée par la pratique de l'autorisation préalable, du cautionnement, de l'avertissement. Une propagande officielle se développe dans les campagnes.

1854   22 juin. Une loi généralise pour les ouvriers l'obligation du port du livret, obligation instaurée depuis 1803.

1856   **L'apogée du régime.** En mars naît le prince impérial (l'Empereur a épousé Eugénie de Montijo en 1853). Un an après l'Exposition universelle, la situation est brillante et l'ordre règne partout. La propagande qui vante les bienfaits du régime réussit d'autant mieux qu'elle apparaît confirmée par la conjoncture (hausse des profits et de l'emploi). La quasi-totalité du clergé se rallie à l'Empire et n'hésite pas à glorifier le gouvernement.

1857   **Le test électoral.** Le 29 avril, pour tester l'opinion publique, Napoléon dissout le Corps législatif. Aux élections de juin, les « candidats officiels » recueillent 90 % des voix. Seuls cinq républicains élus (dont Émile Ollivier) acceptent de prêter serment au régime.

1858   **L'attentat d'Orsini** (14 janvier). Le couple impérial échappe à un attentat meurtrier fomenté par le Romagnol Felice Orsini qui espérait, en supprimant l'empereur, provoquer une révolution qui gagnerait l'Italie. En réaction, le 27 février, une loi de sûreté générale est promulguée (430 condamnés à la déportation en Algérie).

1859   **L'extension du réseau ferroviaire** (11 juin). Pour faire pénétrer le chemin de fer dans les régions enclavées, l'État garantit l'émission d'obligations des compagnies.

1860   **Le « coup d'État douanier »** (23 janvier). Favorable au libre-échange, Napoléon III prépare en secret un traité de commerce avec l'Angleterre. Conclu pour dix ans, le traité ouvre largement le marché français aux produits anglais, ce qui mécontente certains industriels mais stimule la production.

L'intervention en faveur de l'Italie. L'empereur perd le soutien du clergé et des milieux catholiques en raison de son aide à l'unité italienne. Le 24 mars, moyennant la cession à la France de Nice et de la Savoie, il laisse le Piémont annexer des États appartenant au pape Pie IX.

L'ENTRÉE DANS L'ÈRE INDUSTRIELLE

▇ Le rôle des saint-simoniens

Napoléon III mène une politique économique étatiste, inspirée des saint-simoniens. Disciples du socialiste Saint-Simon, ceux-ci mettent en place la modernisation économique, soutiennent les grands travaux, le développement des échanges, l'essor de l'industrie. Ils aident à fonder un crédit moderne avec la création de banques nouvelles de dépôt comme le Crédit immobilier des frères Pereire. Les banques de crédit (Crédit Lyonnais, Société générale) et les sociétés anonymes favorisent aussi les investissements.

Les usines Pétin et Gaudet à Saint-Chamond (Loire), 1862

La Compagnie des Hauts-Fourneaux, forges et Aciéries de la Marine et des Chemins de fer est déjà l'exemple d'une concentration d'entreprises et de grandes usines.

▇ L'essor de la grande industrie

La sidérurgie, la métallurgie, l'industrie chimique nouvellement créée, sont stimulées par la révolution des transports. Le réseau ferroviaire s'étend sur toute la France, les ports se modernisent.

▇ L'élargissement des marchés

Le traité de libre-échange avec l'Angleterre (1860), mis en œuvre par l'empereur et le saint-simonien Michel Chevalier, sacrifie les entreprises les plus faibles mais stimule la concentration d'entreprises. La révolution des grands magasins, l'essor des échanges extérieurs accroissent les besoins en produits industriels.

C'est sous le Second Empire et sous l'impulsion de Napoléon III, que la France entre dans la révolution industrielle. Elle devient comme le Royaume-Uni, une puissance moderne Le capitalisme s'affirme mais accentue les contrastes sociaux entre le monde ouvrier et la nouvelle bourgeoisie.

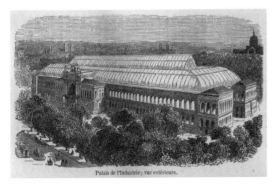

Palais de l'Industrie ; vue extérieure.

L'Exposition universelle dans le Palais de l'Industrie en 1855. Une autre exposition universelle eut lieu en 1867, destinée aussi à montrer les réalisations du Second Empire.

Le Second Empire : l'empire libéral

À partir de 1860, devant la désaffection des milieux catholiques et des industriels, Napoléon III cherche à se concilier les opposants libéraux et les ouvriers. Le droit de grève est légalisé, le régime devient progressivement parlementaire. Mais, en 1870, la guerre arrête cette évolution : la défaite de Sedan, le 2 septembre, provoque la chute du régime.

1860   Avril. À l'issue d'un plébiscite, la Savoie et le Comté de Nice sont rattachés à la France.
Le droit d'adresse (24 novembre). Un décret accorde aux assemblées le droit de voter une adresse annuelle au gouvernement. Les journaux ont désormais le droit de publier *in extenso* les débats des deux assemblées.

1862   Une délégation ouvrière est envoyée à l'Exposition universelle de Londres, où elle rencontre les « syndicats » anglais.

1863   **Des élus républicains.** En mai, 32 opposants (dont 17 républicains) sont élus au Corps législatif.
18 octobre. Fondation du Crédit Lyonnais. L'État encourage la constitution de grandes banques d'affaires et de dépôts, autorise les sociétés à responsabilité limitée et reconnaît légalement la valeur du chèque (1865).

1864   **Le « Manifeste des Soixante ».** Le 17 février, 60 ouvriers de la Seine proclament, dans un manifeste, que les ouvriers constituent « une classe spéciale ayant besoin d'une représentation directe ».
Le droit de coalition (25 mai). Émile Ollivier est le rapporteur de la loi qui légalise la grève des ouvriers, à condition qu'il ne soit pas porté atteinte à la liberté du travail. Les organisations syndicales sont tolérées, mais les grèves qui éclatent alors montrent que beaucoup d'ouvriers ne se rallient pas à l'empire.

1865   **L'AIT.** La première Association Internationale des Travailleurs est créée à Paris.

1867   **Le droit d'interpellation** (19 janvier). Le droit d'adresse est remplacé par le droit d'interpellation. Les ministres concernés par une demande d'explication viendront défendre leur politique devant les députés du Corps législatif.

1868   **L'extension des libertés** (11 mai). Une loi sur la presse supprime l'autorisation préalable et les avertissements.
6 juin. Une loi octroie la liberté des réunions électorales.

1869   23-24 mai. Les élections législatives conduisent à la Chambre 74 opposants (dont 25 républicains).
Novembre. Inauguration du Canal de Suez construit par Ferdinand de Lesseps.

1870   **Les modifications constitutionnelles.** 20 avril, le pouvoir législatif est accordé aux deux chambres et le principe de la responsabilité ministérielle est admis. Le régime devient parlementaire. Par plébiscite, 7 350 000 électeurs répondent oui aux réformes.
Napoléon III, prisonnier (1er septembre). Napoléon III est tombé dans le piège tendu par le chancelier Bismarck et a engagé la France dans la guerre contre la Prusse. Il est fait prisonnier à Sedan. Le 4 septembre, Léon Gambetta déclare, dans Paris en révolution, la déchéance de l'empire. La République est proclamée.

HAUSSMANN ET LES TRANSFORMATIONS DE PARIS

Les dernières démolitions de l'avenue de l'Opéra

■ Des objectifs ambitieux

Napoléon III confie au baron Haussmann, préfet de la Seine de 1853 à 1870, le soin de transformer Paris. La capitale présente en effet des quartiers insalubres, et, surtout dans le centre, des rues étroites et mal pavées. Les égouts sont rares, tout comme l'eau courante. 20 000 porteurs d'eau sont encore nécessaires ! Il s'agit aussi de faciliter le commerce et les déplacements urbains, d'assurer le prestige du régime. Les grands travaux doivent également aider au maintien de l'ordre et éviter de nouvelles barricades.

■ La « fièvre haussmannienne »

Plus de 200 000 ouvriers sont mobilisés, 25 000 maisons détruites et 75 000 reconstruites, surtout en pierre de taille. On opère de larges percées avec des voies rectilignes et des places-carrefours. 600 km d'égouts sont réalisés tandis que les eaux de la Vanne et de la Dhuys sont canalisées vers la capitale. Les pavillons des Halles deviennent le « ventre de Paris ». On construit des gares, des grands magasins, des mairies d'arrondissement, des hôpitaux, des casernes, des édifices religieux, des prisons… Les espaces verts sont multipliés. En 1860, 18 communes périphériques comme Montmartre sont annexées ; Paris s'étend désormais sur 20 arrondissements et compte 2 millions d'habitants.

■ Des conséquences multiples

Le « Paris moderne » est né mais les transformations, outre la destruction d'une partie du patrimoine urbain, se sont accompagnées de spéculation immobilière. Celle-ci est caricaturée par le républicain Jules Ferry dans *Les Comptes fantastiques d'Haussmann*. Paris est aussi lourdement endetté. De plus, les ouvriers et artisans ont été expropriés du centre de Paris et rejetés vers la périphérie. Peu de logements sociaux ont été construits. La ségrégation sociale oppose dorénavant l'Ouest, « bourgeois », et l'Est, plus populaire.

Le second Empire a bouleversé le paysage urbain de Paris. La ville a été assainie, embellie, mais mise au service de la société industrielle et de la bourgeoisie triomphante. Les transformations voulues par Napoléon III et orchestrées par le baron Haussmann ont été décriées, critiquées, mais elles ont fait de Paris une capitale mondiale prestigieuse.

Les débuts difficiles de la IIIᵉ République

Le gouvernement républicain doit affronter la guerre et le soulèvement de la Commune de Paris. L'écrasement de celle-ci permet l'installation d'une république conservatrice. Les lois constitutionnelles de 1875 sont un compromis entre monarchistes orléanistes et républicains modérés. Le caractère parlementaire du régime s'affirme après la crise du 16 mai 1877.

1871 **L'armistice du 28 janvier.** Le gouvernement provisoire issu du 4 septembre 1870 obtient de la Prusse un armistice en échange de la capitulation de Paris.

8 février. Les élections amènent à l'Assemblée nationale une majorité de monarchistes, divisés entre légitimistes et orléanistes. Thiers, désigné « chef du pouvoir exécutif de la République française », s'engage à ne pas prendre parti sur le futur régime.

Le traité de Francfort (10 mai). Thiers négocie les conditions de la paix avec le chancelier allemand Bismarck. La France perd l'Alsace-Lorraine et doit une indemnité de 5 milliards de francs-or. Le pays est occupé jusqu'au paiement total en 1874.

La « Semaine sanglante » (21-28 mai). Elle marque la fin de la Commune. Les troupes versaillaises ont réprimé dans le sang l'insurrection.

Thiers président (2 juillet). Malgré l'écrasement de la Commune, les républicains progressent aux élections partielles. Thiers reste au pouvoir avec le titre de président de la République. Il confirme la centralisation administrative (maires des villes nommés, conseils généraux placés sous la tutelle des préfets…). L'indemnité de guerre étant payée, Thiers obtient l'évacuation du territoire par avance (ce sera en septembre 1873).

1873 **« L'ordre moral »** (24 mai). Thiers se prononce pour une République conservatrice ; l'Assemblée le remplace par un légitimiste, le maréchal de Mac-Mahon. Un gouvernement « d'Ordre moral » surveille les journaux et les débits de boissons, soutient les valeurs et pratiques chrétiennes…

Le drapeau blanc (30 octobre). Petit-fils de Charles X, le comte de Chambord, légitimiste, refuse d'admettre les principes de 1789 et de renoncer au symbolique drapeau blanc, emblème de la monarchie absolue. L'Assemblée, espérant une restauration dans l'avenir, fixe à sept ans le mandat de Mac-Mahon.

1875 **L'amendement Wallon** (30 janvier). Le député Wallon propose de désigner du titre de « président de la République » le chef de l'État. L'amendement est voté à une voix de majorité. Les orléanistes se rapprochent des républicains pour voter les lois constitutionnelles. Le régime est parlementaire avec un président élu pour sept ans et deux assemblées élues (le Sénat et la Chambre des députés) qui désignent le Président.

1877 **La crise du 16 mai.** Mac Mahon s'oppose au gouvernement républicain (les républicains ont gagné les élections de 1876) qui démissionne. Le président dissout l'Assemblée ; la campagne électorale est animée par Gambetta. Les républicains remportent les nouvelles élections. Mac Mahon se « soumet » en choisissant un gouvernement de républicains modérés.

1878 **« La révolution des mairies »**. Après les départements (élections cantonales de 1877), les communes élisent à leur tour une majorité républicaine.

LA COMMUNE DE PARIS

Pour entraver la progression des Versaillais, les communards provoquent des incendies dans Paris, comme ici au château des Tuileries.

■ Le siège de Paris (19 septembre 1870 - 28 janvier 1871)

Avec la défaite de la France devant l'Allemagne, Paris est encerclé. La faim, le bombardement, quatre mois de siège pendant l'hiver le plus froid du siècle éprouvent cruellement Paris. Patriotes, les Parisiens condamnent la politique du gouvernement de la Défense nationale qui a succédé à l'Empire. La signature de l'armistice le 28 janvier les scandalise. Les élections législatives du 8 février 1871, organisées à la demande du chancelier allemand Bismarck, qui souhaite traiter avec des élus incontestés du pays, prouvent que Paris est jacobin et révolutionnaire, favorable à la poursuite de la guerre, et que la province – sauf dans l'Est et les grandes villes – est monarchiste et pour la paix.

■ La proclamation de la Commune

Le 10 mars, le gouvernement légal présidé par Thiers, en s'installant à Versailles, paraît « décapitaliser » Paris. Le 18 mars, ses troupes essaient, en vain, de récupérer les 227 canons de la Garde nationale regroupés à Montmartre. Paris se rebelle. Le 26 mars, une Commune est élue, qui s'érige en gouvernement insurrectionnel sous l'emblème du drapeau rouge. Son programme social interdit les amendes sur les salaires, abolit le travail de nuit des ouvriers boulangers, prévoit une instruction gratuite, obligatoire et laïque, jette les bases d'importantes réformes. La séparation de l'Église et de l'État est proclamée.

■ La victoire des Versaillais

130 000 Versaillais – dont nombre de prisonniers libérés par Bismarck – se rassemblent sous le commandement de Mac-Mahon contre 20 000 insurgés, ouvriers et artisans parisiens. Un second siège de Paris commence. L'assaut est donné le 21 mai. Aux exécutions sommaires du petit peuple de Paris répondent les exécutions d'otages et les incendie par les communards. La « Semaine sanglante » s'achève le 28 mai, dans le cimetière du Père-Lachaise au mur des Fédérés. La répression est atroce : 25 000 fusillés sommairement, 4 586 déportés, 4 606 condamnés à la prison. Elle dure pendant deux ans encore, écrasant pour longtemps le mouvement ouvrier.

> Dernière des grandes révolutions parisiennes, la Commune est à la fois un sursaut patriotique, un mouvement républicain et égalitaire, et un mouvement de révolte contre l'autorité de l'État. Première révolution ouvrière, elle est devenue, depuis l'interprétation qu'en a donnée Karl Marx, le symbole d'un mouvement révolutionnaire anticapitaliste.

Le tournant impressionniste

Les impressionnistes représentent un moment majeur dans l'histoire des arts. Les contraintes théoriques et techniques, déjà délaissées par les réalistes (Courbet, les peintres de Barbizon), puis Manet, Boudin, sont balayées. La peinture devient subjective, accorde la primauté à la couleur, à « l'impression ». L'impressionnisme influence aussi la littérature et la musique et ouvre la voie au modernisme.

1863   Manet fait scandale avec le tableau *Olympia*, représentant une prostituée de luxe nue, en 1863.

1874   **L'exposition chez Nadar** (avril). La « Société anonyme des artistes peintres » expose 165 tableaux chez le photographe Nadar, boulevard des Capucines à Paris, dont *Impression soleil levant* que Claude Monet a peint en 1872. Ces peintres font du terme « impressionnistes », dont ils sont alors péjorativement qualifiés, un titre d'honneur. Les plus célèbres d'entre eux vont être Monet, Bazille, Sisley, Pissarro, Renoir, Degas, Berthe Morisot, Caillebotte.

    La publication de *Romances sans paroles* de Verlaine. L'impressionnisme est présent aussi dans inspire la poésie. Verlaine qui a fait la connaissance des « impressionnistes » en 1869 écrit vouloir « recueillir des impressions » et adopter une « poétique de plus en plus moderniste ».

1876   *L'étoile (ballet)* **de Degas.** Les impressionnistes n'ont jamais représenté complètement une école et Degas est l'un des plus originaux : sujets très personnels comme les courses de chevaux, les danseuses, les cabarets mais aussi un travail sur les lumières artificielles.

1877   **La série des *Gares Saint-Lazare* de Monet** (janvier). Les sujets des peintres impressionnistes s'inspirent de la vie quotidienne ; ils sortent de l'atelier, peignent des paysages mais aussi la ville moderne comme Monet à la gare Saint-Lazare à Paris.

1881   *Le déjeuner des canotiers* **de Renoir** (avril-juillet). Il s'agit de l'œuvre la plus célèbre et de la dernière grande œuvre impressionniste du peintre. Il réunit à l'auberge Fournaise à Chatou, ses amis (Caillebotte…) et modèles.

1892   **La musique et le courant impressionniste.** En août, Claude Debussy publie « Un nocturne pour piano » en ré bémol.

1897   **Genèse du projet des nymphéas de Monet.** Le peintre lègue l'ensemble qu'il réalise progressivement à l'État, au lendemain de l'armistice de 1918 et par l'intermédiaire de son ami Clemenceau. Les panneaux sont installés à l'Orangerie à Paris en 1927.

Claude Monet, Impression, soleil levant. Huile sur toile, 48 x 63 cm, Musée Marmottan Paris. Ce tableau, d'abord intitulé Soleil levant sur Le Havre, est rebaptisé à l'occasion de l'exposition de 1874. Il est à l'origine du mot « impressionnisme ».

VERS L'ART MODERNE

L'impressionnisme

À partir des années 1890, certains artistes, d'abord impressionnistes, s'orientent vers des recherches nouvelles, comme Seurat et les pointillistes déjà représentés lors de la 8e exposition impressionniste en mai 1886 rue Laffitte à Paris. Gauguin, Van Gogh, les Nabis explorent de nouvelles voies de création. Cézanne met en valeur les volumes et les plans. Les Fauves (Dufy, Matisse, Derain, Vlaminck) privilégient la couleur pure et la lumière. Les symbolistes, tel Gustave Moreau, se libèrent de la réalité en exaltant la spiritualité.

La « Belle Époque »

Dans tous les arts, on assiste à une extraordinaire richesse de création et de mutations (Rodin en sculpture...). Autour des années 1900, l'Art nouveau (Guimard) choisit la ligne courbe et les motifs végétaux, créant un style extraordinaire mais éphémère. Les inventions et innovations se multiplient. Les frères Lumière inventent le cinéma ; les architectes utilisent le fer (comme l'a montré en 1889, la Tour Eiffel)...

Vers l'abstrait

Dès les premières années du xxe siècle, les cubistes (Braque, Picasso) contestent la peinture figurative. Ils s'inspirent de Cézanne ; les cubistes déforment la réalité, fragmentent les volumes en figures géométriques, répartissent différemment la lumière dans les fragments représentés. En 1907, Picasso peint *Les demoiselles d'Avignon* sans souci d'aucune perspective et en déconstruisant les formes.

L'impressionnisme a ouvert la voie à de nouvelles recherches qui ont cherché à le dépasser dans les couleurs et dans les réformes. Avec le cubisme, on peut même parler de véritable révolution. La création se fait alors majoritairement à Paris, devenu capitale artistique et littéraire mondiale.

Entre 1890 et 1895, Cézanne fit cinq versions de ces Joueurs de cartes, où l'espace pictural devient un système autonome, les formes construites presque géométriques annoncent l'art moderne.

L'éclat de la couleur et la vue en plongée restituent le caractère de fête voulu par Dufy qui peint ce tableau, La rue pavoisée, en 1906.

Avec Port en Normandie, en 1909, Georges Braque illustre le cubisme analytique ; il utilise une palette réduite et privilégie l'étude des formes.

La République opportuniste

Depuis 1879, la République est aux mains des républicains divisés en opportunistes et radicaux. Sous l'impulsion de Jules Ferry, d'importantes lois enracinent les idées républicaines. Une politique de conquête coloniale est également menée. Mais les difficultés économiques font de nombreux mécontents. Un vaste mouvement antiparlementaire – le boulangisme – menace même un moment la République.

1879 **La démission de Mac Mahon.** (30 janvier). Après la victoire des républicains aux élections sénatoriales, Mac Mahon préfère se « démettre » et démissionne. Son successeur, le républicain Jules Grévy, promet de ne jamais entrer « en lutte contre la volonté nationale ». C'est l'affirmation du caractère parlementaire du régime.

La Marseillaise (14 février). Elle devient hymne national. En juin, les Chambres rentrent de Versailles à Paris.

1880 **Le Premier ministère Ferry** (1880-1881). L'enseignement secondaire public de jeunes filles, fondé par Victor Duruy sous Napoléon III, est réorganisé.

1881 12 mai. Le bey de Tunis reconnaît le protectorat de la France.

Les grandes lois républicaines. Le 16 juin, l'enseignement primaire est décrété gratuit (loi Ferry). Le 30, la loi sur les réunions publiques et le 29 juillet, la loi sur la presse, affirment les valeurs républicaines.

1882 **Le krach de l'Union générale** (19 janvier). De nombreux épargnants sont ruinés. La dépression mondiale ralentit l'essor économique et le chômage s'accroît.

L'école publique, laïque et obligatoire. Le 28 mars, une nouvelle loi Ferry décrète l'enseignement primaire, laïque et obligatoire de 6 à 13 ans.

1883 **Le second ministère Ferry** (1883-1885). Jules Ferry entreprend la conquête de l'Annam qui, le 23 août, se place sous protectorat français.

1884 **La loi Waldeck-Rousseau** autorise les syndicats professionnels et donne la liberté d'association. La loi municipale du 5 avril 1884 étend l'élection des maires par le conseil municipal à toutes les communes de France, sauf Paris.

1886 **Le général Boulanger.** Connu comme l'un des rares généraux républicains, il devient ministre de la Guerre et se rend populaire.

1887 **L'affaire Schnaebelé** (avril). Boulanger profite de l'arrestation par les Allemands d'un commissaire de police français, Schnaebelé, pour apparaître en «général revanche».

Le scandale des décorations (2 décembre). Jules Grévy compromis par son gendre, qui a fait trafic de la Légion d'honneur, démissionne. Il est remplacé par Sadi Carnot. Le clan boulangiste en profite pour rassembler nationalistes, bonapartistes, monarchistes… et même certains radicaux derrière un programme antiparlementaire.

1889 **L'échec du boulangisme.** Le 27 janvier, après avoir remporté de multiples élections partielles, Boulanger est élu à Paris. Ses partisans le pressent de marcher sur l'Élysée. Persuadé d'arriver au pouvoir par les voies légales, il refuse. Le boulangisme s'effondre.

LES GRANDES LOIS RÉPUBLICAINES

Les symboles républicains

En 1879, la Marseillaise devient l'hymne national. En 1880, après d'intenses débats à l'Assemblée, le 14 juillet est choisi comme fête nationale. Les cérémonies combinent défilé militaire patriotique et festivités populaires. Les bustes de Marianne se multiplient dans les lieux publics, sur les timbres.

Les lois scolaires

Les lois Jules Ferry de 1881 et 1882 instaurent l'enseignement primaire gratuit, laïc et obligatoire de 6 à 13 ans afin de donner des chances égales aux enfants. Des écoles normales primaires forment les « hussards noirs de la République ».

Les libertés politiques

Des lois assurent la liberté de réunion (30 juin 1881), la liberté de la presse (loi du 29 juillet 1881), la liberté d'association (21 mars 1884). Les libertés communales permettent de définir les pouvoirs municipaux (1882 et 1884). Mais des lois controversées, surtout par les catholiques, suppriment la prescription légale du repos obligatoire le dimanche et les jours fériés et permettent le divorce (1884).

La statuaire dans les lieux publics participe aussi de la consolidation de la république, comme ici le Monument à la République, de Léopold Morice, érigé en 1883 sur la place du même nom à Paris.

La république s'enracine progressivement à travers des institutions et des lois qui transmettent les valeurs républicaines et fortifient le régime.

École publique de Buigny-les-Gamaches (Somme)

Pour les « Pères de la République », l'école est destinée à donner des chances égales pour tous. Elle doit aussi inculquer le sentiment patriotique.

La République modérée

Les années 1890 sont marquées par la réapparition du socialisme et le ralliement d'une partie de la droite à la république. Les modérés au pouvoir répriment les mouvements ouvriers mais sont mis en difficulté par le scandale de Panama, la crise anarchiste et l'affaire Dreyfus. Un ministère de « Défense républicaine » est mis en place à la fin du siècle.

1889 **L'essor du socialisme.** Aux élections législatives de septembre-octobre, les républicains enlèvent 366 sièges, les socialistes, 20. Le mouvement socialiste se réorganise depuis le retour des chefs communards amnistiés en 1880.

1890 **Le « toast d'Alger »** (12 novembre). Le cardinal Lavigerie, archevêque d'Alger, invite les catholiques à se rallier à la République.

1891 **La fusillade de Fourmies** (1er mai). Depuis 1890, les travailleurs célèbrent le 1er mai comme fête du Travail. Le mouvement syndical progresse et les ouvriers réclament la journée de 8 heures. Les manifestations violentes se multiplient. À Fourmies, la troupe intervient. Bilan : 9 morts (dont 2 enfants et 4 jeunes filles) et 35 blessés.

1892 **Le « scandale de Panama ».** La Compagnie de Panama, mise en faillite en 1889, a acheté par des chèques la complaisance de 104 députés. Le scandale discrédite, pour un temps, une grande partie des hommes politiques.

1893 20 août. Les élections amènent à la Chambre 50 socialistes, dont le marxiste Jules Guesde et Jean Jaurès, député des mineurs de Carmaux.

1894 **L'assassinat de Sadi Carnot** (24 juin). Le refus de « l'ordre bourgeois » nourrit les attentats et aboutit à l'assassinat du président de la République Sadi Carnot, auquel succède Jean Casimir-Perier. Pourchassé, l'anarchisme se réfugie dans l'action syndicale.

1895 Janvier. Jean Casimir-Perier, démissionnaire, est remplacé par Félix Faure.

La naissance de la CGT (23-28 septembre). Le congrès constitutif de la Confédération générale du travail (CGT) se réunit à Limoges. La CGT vise à unifier toutes les forces syndicales « en dehors de toutes les écoles politiques ».

1898 **« J'accuse… ! »** (13 janvier). *L'Aurore* publie à 300 000 exemplaires une « lettre au président de la République » signée Émile Zola et coiffée par Clemenceau d'un titre foudroyant : « J'accuse… ! ». Pourtant, aux élections de mai les modérés gardent la majorité. Guesde est battu, tout comme Jaurès, dreyfusard.

Juillet. Zola, qui s'est enfui en Angleterre, est condamné à un an de prison et 3 000 F d'amende. Au mois d'août, la découverte d'un faux dans le dossier Dreyfus conduit à la demande de révision.

1899 **La mort soudaine de Félix Faure** (Février). Émile Loubet lui succède.

Le gouvernement de « Défense républicaine » (juin). Waldeck Rousseau poursuit les antidreyfusards et mène une politique anticléricale.

1901 **La loi sur les associations** (1er juillet). La loi oblige les congrégations religieuses à solliciter l'autorisation.

L'AFFAIRE DREYFUS

◼ Une affaire d'espionnage

Le 15 octobre 1894, un officier israélite, le capitaine Alfred Dreyfus, accusé d'espionnage au profit de l'Allemagne, sur la base de preuves fragiles, est arrêté. Traduit devant un conseil de guerre, il est cassé de son grade, déporté à l'île du Diable, en Guyane. La presse nationaliste et antisémite, comme *La Libre Parole* de Drumont, se félicite d'un tel jugement. La famille, les amis de Dreyfus, persuadés de son innocence, cherchent à la démontrer. Le 13 janvier 1898, dans une lettre ouverte au président de la République, Émile Zola relance l'affaire. La lettre intitulée « J'accuse… ! », parue dans *L'Aurore,* dénonce les mensonges, les manœuvres des généraux qui protègent le vrai coupable, le commandant Esterházy.

◼ Une crise de conscience

Désormais, l'opinion publique se déchire. Les antidreyfusards s'attaquent, à travers les « juifs » et les « traîtres vendus à l'Allemagne »,

à la République. Au nom de « l'honneur de l'armée », ils refusent toute remise en cause du jugement du conseil de guerre. Les dreyfusards veulent faire triompher la justice, la vérité et les droits de l'homme. La presse orchestre « l'affaire ». En juin 1899, la crise atteint son sommet. Profitant du courant antidreyfusard, la droite nationaliste, militariste et antisémite, menée par Paul Déroulède et sa « ligue des patriotes », tente de former une coalition antirépublicaine.

◼ Les retombées de « l'affaire »

Face au danger, les républicains, des modérés aux socialistes, s'unissent pour former un gouvernement de Défense républicaine dirigé par Waldeck-Rousseau de juin 1899 à 1902. La crise accentue l'opposition entre une droite nationaliste, militariste et cléricale, et une gauche démocratique qui s'unit, radicaux en tête, pour épurer l'armée et réduire l'influence de l'Église. Waldeck-Rousseau limoge des généraux et s'en prend aux catholiques et au clergé qui, dans leur majorité, ont soutenu les antidreyfusards. Après un second procès, à Rennes, Dreyfus est gracié le 19 septembre 1899. Ce n'est qu'en 1906 qu'il est reconnu innocent et réintégré dans l'armée avec le grade de commandant.

La dégradation de Dreyfus

Dreyfus est dégradé le 5 janvier 1895 dans la cour des Invalides à Paris, puis envoyé au bagne de l'île du Diable, en Guyane, où il arrive le 13 avril. L'affaire Dreyfus s'inscrit dans le contexte de l'époque. Elle montre la présence d'un fort sentiment antisémite et xénophobe, nourri par la hantise de l'espionnage allemand. Elle est aussi annonciatrice du XXe siècle : elle révèle la puissance nouvelle de la presse écrite, l'engagement des intellectuels et la nécessité, pour les gouvernants, de tenir compte de l'opinion publique.

La République radicale

Le Bloc des gauches dominé par les radicaux vote la séparation des Églises et de l'État, mais le Bloc se fissure. Le ministère radical de Clemenceau réprime l'agitation sociale. L'instabilité ministérielle réapparait tandis que les tensions internationales inquiètent l'opinion. Le service militaire est porté à trois ans. La gauche remporte les élections de 1914.

1902 **Le Bloc des gauches** (juin). Radicaux et socialistes l'emportent aux élections ; le gouvernement Combes applique avec rigueur la loi de 1901. En 1904, une loi interdit même l'enseignement aux congrégations (5 juillet) et Combes rompt les relations diplomatiques avec le Vatican et Pie X (30 juillet).

1905 **Le discours de Tanger** (31 mars). L'empereur d'Allemagne, Guillaume II, déclenche depuis le Maroc une grave crise diplomatique.
La SFIO (26 avril). Jaurès crée le Parti socialiste unifié, Section française de l'Internationale ouvrière (SFIO), dont le journal est *L'Humanité* (1904). Aux législatives de mai, le Bloc des Gauches éclate.
La séparation des Églises et de l'État (9 décembre). La loi met fin au Concordat de 1801.

1906 **Clemenceau, président du Conseil**. Il est nommé par le nouveau président de la République, Armand Fallières, après les législatives remportées par les radicaux. Clemenceau crée le ministère du Travail. La loi sur le repos hebdomadaire est votée.
La catastrophe de Courrières (mars). La mort de 1 000 mineurs déclenche une grève durement réprimée.
La charte d'Amiens (14 octobre). La CGT affirme son indépendance de tout parti politique et se veut révolutionnaire et antimilitariste.

1907 **La révolte du Midi viticole.** La troupe, envoyée rétablir l'ordre, se mutine. La répression de l'agitation sociale vaut à Clemenceau le surnom de « premier flic de France ».

1909 **Le ministère Briand.** Socialiste indépendant, Briand succède à Clemenceau ; il cherche « l'apaisement » mais réprime aussi les troubles sociaux. En 1910, c'est l'instabilité ministérielle ; aucune majorité nette ne sort des élections législatives.

1911 **Le « coup d'Agadir »** (1er juillet). Un accord franco-allemand (4 novembre) règle cette nouvelle crise, mais mécontente les nationalistes des deux pays.

1912 **Le retour au pouvoir des modérés** (14 janvier). Le président du Conseil, Raymond Poincaré, s'attache à resserrer les alliances de la France avec la Royaume-Uni et la Russie.

1913 **La loi des trois ans.** Raymond Poincaré est élu président de la République, la loi porte le service national à trois ans (ramené à deux ans depuis 1905).

1914 **Le gouvernement Viviani.** Socialistes et radicaux l'emportent aux élections législatives d'avril-mai. L'impôt sur le revenu est voté.
Jaurès assassiné (31 juillet). Le leader socialiste, qui défend le pacifisme est assassiné par un nationaliste.
L'entrée en guerre (3 août). L'Allemagne déclare la guerre à la France.

LA LOI DE SÉPARATION DES ÉGLISES ET DE L'ÉTAT

L'instauration de la laïcité

Après quinze mois de tractations, la loi du 9 décembre 1905 annonce que « la République ne reconnaît, ne salarie ni ne subventionne aucun culte ». Les biens des paroisses iront, après inventaire, à des associations de fidèles, dites « associations cultuelles ». Églises et presbytères demeurent propriété publique. « Loi de tolérance et d'équité », se félicite Aristide Briand, rapporteur du texte. Le pape Pie X condamne la rupture unilatérale du Concordat de 1801 et interdit la constitution des « cultuelles ».

La querelle des inventaires

Mais l'inventaire des biens d'Église se heurte, à partir de février 1906, à l'opposition violente de catholiques intransigeants. Des incidents ont commencé à Paris le 1er février, à l'église Sainte-Clothilde. Pour interdire l'inventaire des objets qu'elle contient, les hommes se barricadent dans l'église. Ils s'arment de cannes, de pierres. Les portes sont enfoncées à coups de hache et l'expulsion des barricadés se fait sans douceur. À la fin du mois, les incidents gagnent la province : la Bretagne, la Vendée, le Velay, les Pyrénées, la Flandre… Dans les Pyrénées, les Basques amènent des ours à la porte des églises pour en interdire l'accès aux forces de l'ordre. Dans la Haute-Loire et en Lozère, pas un seul inventaire ne peut être réalisé devant la mobilisation paysanne. Le 6 mars 1906, à Boeschèpe, les paysans flamands s'opposent à l'inventaire des biens de leur église. Un jeune manifestant, Ghysel, est tué. Sa mort entraîne la chute du cabinet Rouvier, auteur de la loi de séparation des Églises et de l'État.

La politique d'apaisement

Dès le 16 mars, Clemenceau, ministre de l'Intérieur, invite les préfets à suspendre l'inventaire « afin de ne pas faire tuer des hommes pour compter des chandeliers ». Cette attitude conciliatrice fait revenir le calme et les élections de mai démontrent le caractère ultraminoritaire des incidents. Au printemps 1907, une loi du ministère Clemenceau (ce dernier est président du Conseil depuis octobre 1906) défère à la collectivité publique les biens des évêchés et des paroisses, laissant au clergé et aux fidèles la disposition gratuite des églises. La séparation enlève bien des arguments à l'anticléricalisme, qui commence alors à s'atténuer.

> La loi de 1905 demeure une des fondements de la République. Elle a mis fin à des années de tension entre la République et l'Église catholique. Pour des raisons historiques, le Concordat de 1801 qu'elle a remplacé est toujours appliqué en Alsace-Moselle.

Forces de l'ordre et paroissiens s'affrontent. Dans les campagnes, les manifestations rejoignent la vieille détestation à l'égard des gendarmes et surtout des agents du fisc.

La Première Guerre mondiale : l'Union sacrée

Dans la guerre qui progressivement devient mondiale, les Français se rallient à la défense nationale : c'est « l'Union sacrée ». L'échec des grandes offensives de 1914 conduit à la guerre des tranchées. Les offensives des deux années suivantes – la guerre d'usure – sont également vaines et font des centaines de milliers de victimes.

1914 **L'attentat de Sarajevo** (28 juin). L'archiduc héritier d'Autriche, François-Ferdinand est assassiné par un étudiant bosniaque membre d'une société secrète liée aux Serbes. L'Autriche utilise l'événement pour tenter de se débarrasser de la Serbie et lui déclare la guerre (28 juillet).

Le jeu des alliances. L'Europe, déjà secouée par de graves crises, est partagée entre deux systèmes d'alliances (Triple Entente avec la Russie, la France, le Royaume-Uni et la Triple-Alliance ou Triplice avec l'Autriche-Hongrie et l'Allemagne). L'Allemagne déclare la guerre à la Russie qui a mobilisé (1er août) puis à la France (3 août) ; celle-ci a mobilisé le 1er août. Le 4 août, le Royaume-Uni déclare la guerre à l'Allemagne qui a violé la neutralité belge.

4 août. **« L'Union sacrée ».** Devant le cercueil de Jaurès, Jouhaux, secrétaire général de la CGT, proclame le ralliement des socialistes à la guerre Face au péril extérieur, les oppositions politiques se taisent.

6-10 septembre. **La première bataille de la Marne.** Après avoir enfoncé le front français à la frontière belge, les Allemands franchissent la Marne. Mais des troupes venues de Paris et transportées par taxis les font reculer.

Septembre. **La « course à la mer ».** Les Allemands cherchent en vain à déborder les armées franco-anglaises par l'ouest.

Novembre. **La guerre de tranchées.** Le front se stabilise de la mer du Nord à la Suisse : les armées « s'enterrent ». Sur 780 km, la guerre de mouvement devient une guerre de position.

1915 **La guerre navale.** Torpillage du paquebot transatlantique britannique *Lusitania* par les Allemands (7 mai) et bataille du Jutland (31 mai-1er juin).

Mai-juin. Joffre lance de vaines offensives meurtrières en Artois et en Champagne. La flotte franco-anglaise tente en vain de forcer les Dardanelles, détroits tenus par les Turcs, alliés des Allemands depuis octobre 1914. En mai 1915, l'Italie rejoint les Alliés, mais l'intervention bulgare aux côtés de l'Autriche (octobre) entraîne l'écrasement de la Serbie.

1916 **La guerre d'usure.** Février-décembre : les Allemands déclenchent une offensive à **Verdun** mais ne parviennent pas à percer le front.

Bataille de la Somme : l'offensive alliée est aussi un échec. Les Britanniques perdent 500 000 hommes.

LA BATAILLE DE VERDUN

◼ L'attaque allemande

Le 21 septembre, les Allemands déclenchent une offensive à Verdun. Dans une bataille d'usure, ils veulent « saigner à blanc » l'armée française jugée plus faible en raison de sa moindre natalité.

◼ « La bataille totale »

Le général Pétain organise la défense ; la relève et le ravitaillement sont assurés par la route de Bar-le-Duc à Verdun : la « Voie sacrée ». Dans un inextricable réseau de tranchées et de boyaux, les soldats vivent « l'enfer de Verdun ». L'engagement humain et matériel est total. La bataille est marquée par l'importance de l'artillerie lourde qui a causé 80 % des pertes. Des villages entiers ont disparu.

◼ Le lourd bilan

D'octobre à novembre, des contre-offensives permettent aux Français de reconquérir presque tout le terrain perdu. Le 19 décembre, la bataille de Verdun est terminée. Elle a coûté à chaque camp autour de 250 000 hommes (700 000 victimes, disparus et blessés au total).

> « Mère des batailles », montrée comme l'une des batailles les plus inhumaines, elle a sacralisé la défense nationale pour les Français. Ce « lieu de mémoire » est aussi devenu, depuis les années 1970, un lieu symbolique de la réconciliation franco-allemande.

Clémenceau, président du Conseil depuis novembre 1917, vient encourager les soldats sur le front. Dans les tranchées, les « poilus » endurent de terribles souffrances. Mitraillés, bombardés, menacés par les gaz, ils supportent la boue, l'humidité, le froid, la soif, la vermine. Ils attendent la peur au ventre l'ordre qui les lancera à l'attaque ; jusqu'en 1917, les permissions sont rares.

Infanterie, munitions et matériels divers sont acheminés par la route de Bar-le-Duc à Verdun. Pendant la bataille, la « voie sacrée » a vu passer un véhicule toutes les 14 secondes, formant une véritable noria.

HISTOIRE ANCIENNE

HISTOIRE MÉDIÉVALE

HISTOIRE MODERNE

HISTOIRE CONTEMPORAINE

Les femmes dans la Grande Guerre

À la mobilisation des hommes dans les tranchées correspond la mobilisation économique des femmes à l'arrière. Les femmes sont en fait omniprésentes, y compris dans leur image (la mère, la veuve...) utilisée à des fins de propagande. La guerre a un temps brouillé les identités entre les sexes mais n'a pas effacé l'image traditionnelle de la femme.

1914 **L'allocation pour les femmes de mobilisés** (5 août). Elle est accordée aux femmes sans ressources puis élargie mais son montant reste faible.

L'appel aux femmes françaises (7 août). Le président du Conseil Viviani demande solennellement aux femmes de remplacer leurs maris aux champs.

L'ordre de mission de Marie Curie (12 août). Elle crée le service radiologique des armées (voitures équipées de rayons X, postes fixes).

1915 **La création du Comité de la rue Fondary.** Le Comité est une section du Comité international des femmes pour une paix permanente.

Les munitionnettes (novembre). Les usines d'armement font appel à la main d'œuvre féminine. Apparition cette année-là des **marraines de guerre**.

1916 **La déportations des Lilloises** (avril). 15 000 femmes sont déportées par les Allemands pour effectuer les travaux des champs mais aussi des ouvrages militaires.

1917 **La loi Violette** (février). La loi permet aux femmes d'être tutrices et d'assister au conseil de famille.

Des grèves massives de femmes (mai). À Paris et en province, les femmes sont nombreuses à faire grève pour les salaires et les conditions de travail. Ces grèves ont commmencé dès 1915-1916 et se poursuivent en 1918, avec des revendications en faveur de la paix.

La loi Engerand (5 août). Des chambres d'allaitement et des temps de repos deviennent obligatoires dans les entreprises de plus de 100 personnes. Des surintendantes d'usines (créées en mai) conrôlent l'application.

La fondation de *La Voix des femmes* (31 octobre). L'hedomadaire pacifiste regroupe les féministes telles Séverine, Madeleine Pelletier, Hélène Brion, Louise Bodin.

Le procès d'Hélène Brion (28 mars). Institutrice, porte-parole du courant pacifiste de la CGT, elle est condamnée à 3 ans de prison avec sursis pour « défaitisme » et révoquée de l'enseignement.

La mort de Louise de Bettignies (27 septembre). À la tête d'un réseau de résistance spécialisé dans le renseignement, Louise de Bettignies meurt en Allemagne après des mois de pénible détention.

1919 **La loi Lugol.** Sous certaines conditions, les veuves de guerre reçoivent une pension.

400 000 munitionnettes travaillent dans les usines d'armement pendant la guerre.

LA GUERRE TOTALE

Les enfants sont intégrés à l'effort de guerre dans la famille, à l'école comme dans le discours officiel.

■ L'effort demandé aux colonies

En 1914, la France possède le deuxième empire colonial du monde avec plus de 10 millions de km² et près de 50 millions d'habitants. Pendant la guerre, cet empire fournit plus de 600 000 soldats (la « force noire ») ainsi qu'une importante main d'œuvre. Il doit aussi contribuer financièrement et par l'apport de produits alimentaires et miniers.

La guerre a impliqué l'ensemble de l'économie et de la population y compris outremer. Les enfants eux-mêmes sont touchés dans leur vie quotidienne. La guerre est totale et front et arrière se diluent.

■ Les enfants, victimes et acteurs du conflit

Tous les civils sont aussi concernés et enrôlés dans la guerre, y compris les enfants. Le discours patriotique rappelle que l'on se bat pour eux. L'enfant-héros est montré en exemple. Les enfants sont pris dans une culture de guerre spécifique véhiculée par l'école (dictées, dessins…) et les loisirs (jeux et jouets, journaux…). Ils participent aussi à l'effort économique (main d'œuvre d'appoint, quête pour les emprunts…).

■ Une économie tournée vers la guerre

Les civils subissent de lourdes privations ; les cartes de rationnement arrivent trop tardivement. La vie chère entraîne des grèves. La situation est pire dans les régions occupées où les Allemands réquisitionnent et exploitent la main d'œuvre à leur profit.

Affiche de 1917 de Lucien Jonas (1880-1947)

Plus de 600 000 hommes de l'empire colonial français ont participé à la guerre totale.

La fin de la guerre

1917 marque un tournant dans la guerre. La révolution bolche-vique entraîne l'arrêt des combats sur le front russe, les États-Unis entrent en guerre aux côtés des Alliés. En France, cependant, c'est la rupture de l'« Union sacrée ». Le gouvernement autoritaire de Clemenceau permet malgré tout de poursuivre l'effort de guerre. La contre-offensive générale des Alliés, en 1918, contraint les Allemands à accepter l'armistice.

1917   **L'entrée en guerre des États-Unis** (6 avril). La guerre sous-marine à outrance, déclen-chée par l'Allemagne dès février pour empêcher le ravitaillement de l'Angleterre, provoque la destruction de cargos américains. Wilson, approuvé par le Congrès, met fin à l'isolationnisme américain et rejoint la France et le Royaume-Uni.

Le Chemin des Dames (16-19 avril). Nivelle, successeur de Joffre, relance entre l'Oise et Reims des offensives inutilement coûteuses : 30 000 morts et 80 000 blessés en deux jours.

Les mutineries. L'échec des offensives et la lassitude générale provoquent des muti-neries (230 de mai à juin). En juillet, Pétain remplace Nivelle, réprime les mutineries et reprend l'armée en main en améliorant l'ordinaire et les conditions de vie des soldats, en renonçant aux attaques meurtrières.

La rupture de l'« Union sacrée » (16 novembre). Les minoritaires socialistes contraignent leur parti à quitter le gouvernement. Le 17, Clemenceau est président du Conseil. Il renforce la censure, arrête les militants pacifistes, traque les « embusqués », pousse la production de guerre. Par ses « visites au front », « le Tigre » relève le moral des poilus.

La défection russe. Portés au pouvoir par la révolution d'Octobre, les bolcheviks signent l'armistice avec l'Allemagne à Brest-Litovsk (15 décembre), ce qui provoque la défection russe.

1918   **Les offensives allemandes.** À partir de mars, ayant récupéré des divisions après l'arrêt des combats en Russie (traité de paix de Brest-Litovsk), les Allemands lancent quatre offensives, de la Flandre à la Champagne, et parviennent à 65 km de Paris.

Un commandement unique allié. La création d'un commandement unique, confié à Foch après la conférence interalliée de Beauvais (3 avril), permet de stabiliser le front en avant d'Amiens.

La contre-offensive alliée. Les renforts américains confèrent aux Alliés la supério-rité numérique et morale. À partir du 18 juillet, la contre-offensive générale des armées alliées et l'utilisation combinée des chars et des avions contraignent les Allemands à se replier en bon ordre.

Octobre-novembre. Sur le front des Balkans et en Italie, les troupes alliées obligent la Turquie (31 octobre) et l'Autriche-Hongrie (3 novembre) à capituler.

L'armistice (11 novembre). La pression des Alliés et la révolution à Berlin, où l'empe-reur est remplacé par la République, contraignent les Allemands à l'armistice. Il est signé à Rethondes, dans la forêt de Compiègne.

1919   **Le traité de Versailles** (28 juin). Les négociations des traités entre les vainqueurs aboutissent, entre les Alliés et l'Allemagne, à la signature du traité de Versailles.

LE DIFFICILE RETOUR À LA PAIX

◼ Le traité de Versailles

Signé à Versailles le 28 juin 1919, le traité franco-allemand rend l'Allemagne (et ses alliés) responsables de la guerre. L'Allemagne doit verser 132 milliards de marks-or (les réparations), dont 52 % à la France. La Rhénanie est démilitarisée et occupée pendant quinze ans, ainsi que la Sarre. Toute revanche lui est impossible car elle ne peut posséder ni aviation militaire, ni artillerie lourde, ni marine de guerre, ni chars et son armée est réduite à 100 000 hommes.

Depuis l'armistice, l'Alsace-Lorraine est rendue à la France et l'Allemagne perd aussi en Europe d'autres territoires. L'union avec l'Autriche (*Anschluss*) lui est interdite. Ses colonies du Pacifique sont partagées entre les vainqueurs.

◼ L'impossible retour à la normale

L'après-guerre est le temps du deuil, des monuments aux morts, des médailles pour les combattants. Sur 8,4 millions de mobilisés (dont 600 000 venus des colonies), on compte 1,35 million de morts et 3,5 millions de blessés. Toute une génération de « poilus » est marquée à jamais par la violence et l'horreur du conflit. Les femmes sont officiellement démobilisées en janvier 1919 ; elles sont rendues à leur rôle de mères ou de veuves. Avec la paix, la ligne de partage des rôles masculin et féminin reprend ses droits. En fait, les femmes représentaient déjà 36,7 % des actifs avant 1914 et 7 à 10 % dans la seule métallurgie. En 1921, elles sont 1,2 million à travailler en usine.

◼ Un pays à reconstruire

Les destructions sont considérables. Des régions sont dévastées. On compte 300 000 maisons détruites, trois millions d'ha de terres à reconstituer. Des usines, des mines sont hors d'usage. Des routes, des voies ferrées, des canaux sont impraticables. La monnaie est dépréciée et l'État, lourdement endetté.

Plus de 30 000 monuments aux morts ont été érigés en France entre 1918 et 1925 en souvenir des « morts pour la patrie ». Le monument de Lodève (Hérault) montre des femmes et des enfants pleurant un « poilu » mort.

Le Bloc national

La droite, alliée au centre, forme le Bloc national qui l'emporte aux législatives de 1919. L'agitation ouvrière est durement réprimée, mais les difficultés financières s'accumulent. La politique de rigueur du Bloc national et celle de Poincaré, devenu président du Conseil, multiplient les mécontents et conduisent à la victoire du Cartel des gauches (radicaux et socialistes) aux élections de mai 1924.

1919   **La CFTC.** La Confédération française des travailleurs chrétiens (CFTC), qui souhaite la collaboration des classes, est créée les 1er-2 novembre.

La « Chambre bleu horizon » (16 novembre). Alliée au centre et bénéficiant de la peur des possédants (le « péril bolchévique »), la droite l'emporte aux élections législatives. Formée surtout d'anciens combattants, la « Chambre bleu horizon » réprime durement les grandes grèves de 1920 (dirigeants syndicaux arrêtés, 18 000 cheminots grévistes révoqués). Le régime concordataire est maintenu en Alsace-Moselle.

1920   **Le rejet de Clemenceau.** Le 17 janvier, Paul Deschanel devient président de la République. Modéré, il a été choisi de préférence à Clemenceau, qui s'est fait de nombreux ennemis et est marqué par son anticléricalisme.

24 septembre. Alexandre Millerand, chef du Bloc national, remplace Deschanel, démissionnaire pour troubles mentaux.

Le Congrès de Tours (25-30 décembre). Les délégués de la SFIO (Section française de l'Internationale ouvrière) se réunissent à Tours. La SFIO se divise entre socialistes et communistes.

1921   **Les relations avec le Vatican** (16 décembre). La reprise des relations diplomatiques avec le Vatican est votée.

25-31 décembre. 1er congrès du Parti communiste à Marseille.

1922   **La scission syndicale** (13 janvier). La scission politique se double d'une scission syndicale. À côté de la CGT, proche des socialistes, se forme la CGTU (Confédération générale du travail unitaire), proche des communistes.

1923   **L'occupation de la Ruhr** (11 janvier). L'Allemagne tardant à payer les réparations, Poincaré, président du Conseil, fait occuper la Ruhr. Cette occupation accentue la dépréciation du franc, déjà miné par les emprunts et l'inflation. Pour redresser la monnaie, Poincaré négocie l'évacuation de la Ruhr et augmente les impôts directs de 20 %.

1924   **La victoire du Cartel des gauches** (11 mai). L'alliance électorale permet à une majorité radicale-socialiste de l'emporter aux législatives. La gauche victorieuse oblige Millerand, président de la République, qui a pris position pour le Bloc national, à démissionner (11 juin). Gaston Doumergue, modéré, lui succède. Le Cartel est en fait désuni ; les socialistes refusent de participer au gouvernement et la crise financière s'aggrave.

29 octobre. Édouard Herriot, radical-socialiste, président du Conseil, reconnaît officiellement l'URSS.

LE CONGRÈS DE TOURS

Sous l'appel de Karl Marx : « Prolétaires de tous pays, unissez-vous ! », les militants socialistes examinent les 21 conditions imposées par Lénine pour l'entrée dans la IIIᵉ Internationale. L'adhésion est votée par 3 208 voix contre 1 022 et 397 abstentions.

Les « vingt et une conditions »

Le 25 décembre 1920, 285 délégués de la SFIO se réunissent en congrès à Tours. La question posée aux congressistes est la suivante : faut-il ou non se rallier aux thèses de la IIIᵉ Internationale ou Komintern, créée en 1919 par Lénine et patronnée par les bolcheviks ? faut-il s'engager résolument sur la voie d'une action révolutionnaire ? En juillet 1920, Cachin et Frossard sont envoyés à Moscou afin d'y rencontrer le secrétaire de la IIIᵉ Internationale, Zinoviev. Ce dernier fixe « vingt et une conditions » très strictes : centralisme, subordination du syndicat au Parti, exclusion des réformistes, soumission aux décisions de l'Internationale...

La polémique

Léon Blum conduit la bataille contre le ralliement. Il rejette l'idée d'un parti monolithique, au sein duquel les décisions seraient imposées par un tout-puissant comité directeur qui, lui-même, prendrait ses ordres à Moscou. Estimant l'action révolutionnaire prématurée, Blum propose l'unité avec le syndicalisme plutôt que l'absorption de celui-ci par le Parti. Frossard, au contraire, veut créer un parti neuf, centralisé, épuré. La prise de pouvoir légale (législatives de 1919) et la prise de pouvoir révolutionnaire (grèves de 1920) ayant échoué, l'aile gauche de la SFIO se tourne vers la seule révolution qui fournit un modèle victorieux : la révolution bolchevique.

La rupture de l'unité

Le 29 décembre, une majorité (motion Cachin-Frossard) se prononce pour l'adhésion à la IIIᵉ Internationale alors qu'une minorité s'y oppose avec la motion Longuet (petit-fils de Karl Marx). Le Parti socialiste unifié, qui compte 180 000 adhérents, éclate ; c'est la scission du mouvement ouvrier français. Dans l'immédiat, ceux qui adhèrent au Komintern, les militants communistes, sont 130 000. Ils se regroupent dans la Section française de l'Internationale communiste (SFIC) avec le journal *L'Humanité*, dirigé par Marcel Cachin. 50 000 socialistes restent à la SFIO, conservent *Le Populaire* et divers organes de presse de province. À leur tête, Léon Blum déclare « garder la vieille maison ».

En décembre 1920, beaucoup d'observateurs jugent provisoire la rupture de l'unité socialiste. Liée à une conjoncture particulière, la scission s'est pourtant perpétuée, marquée de polémiques et de réconciliations successives entre socialistes et communistes. D'accidentelle, la scission du congrès de Tours est devenue un fait de structure du mouvement ouvrier et social français.

De l'union nationale à la crise

Président du Conseil depuis 1924, Édouard Herriot brandit la menace d'un impôt sur le capital ; les capitaux fuient à l'étranger. En 1925, Herriot démissionne, remplacé en 1926 par Poincaré, qui dévalue le franc et réussit à le stabiliser (1928). Mais la reprise économique est illusoire. La crise mondiale aggrave les difficultés de la France. Les élections de 1932 favorisent la gauche, trop désunie cependant pour gouverner efficacement.

1925 **La chute du ministère Herriot** (10 avril). Herriot se heurte à ce qu'il appelle le « mur d'argent » : les mesures qu'il préconise (impôt sur le capital, emprunt forcé...) sont repoussées par les Chambres. Les capitaux gagnent l'étranger ; les épargnants demandent le remboursement des bons du Trésor. Herriot doit révéler qu'il a « crevé le plafond des avances » que la Banque de France peut consentir à l'État. La crise monétaire devient aussi une crise de confiance. Herriot est renversé.

D'éphémères gouvernements se succèdent alors. La crise monétaire atteint son paroxysme.

1926 **Le cabinet Poincaré** (23 juillet). Appelé au pouvoir pour sauver le franc, Poincaré forme un gouvernement d'union nationale, qui va des radicaux aux partis de droite. Sa présence rétablit la confiance : les capitaux reviennent. Poincaré augmente les impôts indirects, lance des emprunts, réalise des économies budgétaires, équilibre le budget et stabilise de fait le franc.

1928 **La fin du Cartel** (22-29 avril). La popularité de Poincaré permet aux partis de droite qui le soutiennent de gagner les élections législatives.

Le franc Poincaré (24-25 juin). Grâce au soutien des milieux financiers, Poincaré stabilise le franc au cinquième de la valeur du franc germinal d'avant-guerre. Le franc devient une valeur refuge mais les industries exportatrices sont handicapées. Dans bien des domaines, la France souffre de retards structurels. Derrière l'apparente prospérité, les premiers signes de crise apparaissent.

Novembre. Sous la conduite d'Édouard Daladier, favorable à l'union des gauches, les radicaux quittent l'union nationale et entrent dans l'opposition.

1929 **La ligne Maginot.** L'excédent budgétaire permet à André Tardieu, président du Conseil, de faire voter par la Chambre la construction d'une ligne fortifiée, la ligne Maginot (29 décembre). Celle-ci sera achevée cinq ans plus tard.

1931 **L'aggravation de la crise.** La crise économique mondiale et la dévaluation de la livre sterling aggravent la crise française. Celle-ci est marquée par la chute des productions agricole et industrielle, le déficit du budget de l'État et la progression du chômage.

Juin. Le radical Paul Doumer devient président de la République.

1932 **Un nouveau Cartel des gauches.** Aux élections législatives de mai, la gauche radicale et socialiste, unie dans un nouveau cartel, l'emporte. Paul Doumer, assassiné par un déséquilibré, le 6 mai, est remplacé par Albert Lebrun, républicain modéré, le 10 mai.

L'exploitation des colonies. Un décret du gouvernement légalise le travail forcé dans les colonies. Ce décret sera valable jusqu'en 1937.

L'EXPOSITION COLONIALE INTERNATIONALE

◼ Une vitrine pour la « grande France »

Dans un contexte de crise économique, le parti colonial veut mettre en valeur la puissance coloniale française, sa mission civilisatrice mais aussi faciliter le monde des affaires lié aux colonies et protectotats. L'exposition s'inscrit dans une longue tradition de ce type de spectacle.

◼ « Faire le tour du monde en un jour »

L'exposition se tient à Paris, porte Dorée, dans le bois de Vincennes et couvre 110 ha. Des monuments sont reconstitués tel Angkor Vat, des villages où travaillent des artisans. S'ajoutent un musée des Colonies, un jardin zoologique, un parc d'attractions, de gigantesques fontaines lumineuses. Des fêtes ont lieu chaque jour et même la nuit.

◼ Un succès en trompe-l'œil

L'exposition est un succès populaire : 8 millions d'entrées sont comptabilisées pour 33 millions de billets vendus (des visiteurs reviennent plusieurs fois). Mais le succès est surtout matériel. L'idéalisation du monde colonial s'est traduit par le plaisir de la fête. Derrière les villages reconstitués, les visiteurs n'ont pas vu la réalité de l'exploitation coloniale. Cependant, les oppositions et critiques ont été minoritaires, émanant des communistes, de quelques socialistes tel Blum, ou des surréalistes (Aragon, Breton, Char, Éluard…). Quelques manifestations ont eu lieu, comme celle des étudiants indochinois.

> L'exposition coloniale de 1931 est un immense succès populaire mais les visiteurs ne voient pas ce qui est derrière le « décor ». Tout est encore marqué par l'idée de la supériorité de la puissance française et occidentale.

Même si l'on a renoncé aux zoos humains des expositions précédentes, les peuples colonisés sont encore montrés comme des curiosités exotiques.

La contre-exposition organisée par le PCF avec l'appui des écrivains surréalistes n'attira que 5 000 visiteurs.

La rupture du surréalisme

Le surréalisme est un mouvement philosophique qui se veut révolutionnaire. Il s'inspire de Freud et de ses recherches sur l'inconscient. Il est né en partie du mouvement Dada, pacifiste et nihiliste, de 1916-1922 et concerne les arts (y compris le cinéma) et la littérature. Le mouvement se désagrège dans les années 1930 pour des raisons politiques mais garde une forte influence.

1917 **La première utilisation du terme « surréaliste ».** Le mot est de Guillaume Apollinaire dans *Les Mamelles de Tirésias*, pièce sous-titrée « Drame surréaliste en deux actes et un prologue ».

En mars, **la parution du premier numéro de la revue *Littérature*.** Elle est dirigée par Philippe Soupault, André Breton, Louis Aragon.

1922 **La rupture avec le mouvement Dada.** André Breton rompt avec le fondateur, Tristan Tzara, et regroupe autour de lui des poètes tels Robert Desnos, André Crevel, Benjamin Péret. Ils travaillent sur l'écriture automatique.

1924 **Le premier *Manifeste du surréalisme*.** André Breton propose de faire de l'inconscient le nouveau matériau de création. Il définit le surréalisme comme un « automatisme pur, par lequel on propose d'exprimer soit verbalement, soit par écrit, soit de toute autre manière, le fonctionnement réel de la pensée. Dictée de la pensée, en l'absence de tout contrôle exercé par la raison, en dehors de toute préoccupation esthétique ou morale […] ».

1926 **L'ouverture de la Galerie surréaliste.** Elle expose Man Ray et des Objets des îles ; ce sera Yves Tanguy l'année suivante.

1928 **La sortie du film *Le chien andalou* de Luis Buñuel et Salvador Dali.** Buñuel dénonce les applaudissements du public.

1929 **Le *Second Manifeste du surréalisme*.**

Les années trente **La dispersion du groupe.** Le groupe se divise sur la politique et le parti communiste. La guerre achève la dispersion.

1966 **La mort d'André Breton.** Elle marque la fin historique du surréalisme.

Max Ernst, d'origine allemande, installé à paris, peint ses amis du groupe Littérature (Soupault, Éluard, Breton...) mais aussi Raphael et Dostoïevski. Il mêle le réel et le rêve, les vivants et les morts dans cette toile de 1922, intitulée Au rendez-vous des amis.

LA FRANCE DES ANNÉES FOLLES

◾ La « réaction » de l'après-guerre

Le retour à la paix s'accompagne d'un désir de fêtes, de plaisirs. On danse sur de nouveaux rythmes comme le tango, le charleston, le jazz. Au music-hall, qui remplace le café-concert, se produisent des vedettes comme Mistinguett, Maurice Chevalier. La mode, avec des robes au genou et des cheveux « à la garçonne » (d'après le titre d'un roman à scandale de Victor Margueritte), illustre aussi cette volonté de « détente ».

◾ Le Paris des avant-gardes

À Montparnasse, dans ces « années folles », se réunissent les avant-gardes littéraires et artistiques, toute une bohème libérée. On trouve dans les cafés et brasseries, comme la Coupole ou le Dôme, Modigliani, Picasso, André Breton, Man Ray… Les Américains sont nombreux et participent à la fête. C'est une danseuse noire américaine, Joséphine Baker, vêtue d'une audacieuse jupe de bananes, qui est la vedette du théâtre des Champs Élysées.

◾ Les limites des « années folles »

La fête parisienne et ses outrances ne concernent qu'une minorité. La majorité des Français est plus occupée à reconstruire le pays et à se réadapter moralement. Cependant, une culture de masse est née dont les participants se retrouvent au cinéma (encore muet), aux grands événements sportifs (Tour de France, matches de boxe…), écoutent la radio et admirent les exploits tel celui de la traversée de l'Atlantique par Charles Lindbergh en 1927.

La société de l'après-guerre est avide de joie de vivre et de plaisirs. Le Paris des « années folles » attire les artistes et les écrivains du monde entier. Mais cette détente de l'après-guerre ne concerne qu'une minorité.

Le tableau de Pierre Sicard montre le cabaret le Pigall's à Montmartre en 1925. Avec Montparnasse, Montmartre est le quartier de la fête nocturne permanente des « années folles ».

L'impuissance face à la crise

La récession n'est pas résolue. L'instabilité ministérielle, les scandales politico-financiers alimentent l'antiparlementarisme, en particulier celui de l'extrême droite, qui s'exprime le 6 février 1934. Par réflexe de défense républicaine et antifasciste, favorisé par la nouvelle tactique de l'Internationale communiste, le rapprochement des partis de gauche, en janvier 1936, débouche sur un programme de Rassemblement populaire.

1933 **La paralysie du régime.** Au pouvoir depuis les élections de mai 1932, le Parti radical use ses principaux chefs sans parvenir à gouverner vraiment. La politique de déflation, soutenue par les milieux financiers, est rejetée par les socialistes qui préféreraient une dévaluation.

1934 **L'affaire Stavisky** (8 janvier). L'escroc Stavisky est découvert mort. La presse de droite et d'extrême droite fait de son « assassinat » une machine de guerre contre les radicaux.

La journée du 6 février. Les ligues d'extrême droite choisissent de manifester le jour où Édouard Daladier, radical, doit être investi à la Chambre. Elles se heurtent aux forces de l'ordre qui tirent : 15 morts, 900 blessés. Daladier préfère démissionner.

La montée d'un front populaire. L'émeute est interprétée par la gauche comme un coup d'État fasciste. Le 12 février, deux manifestations organisées par la CGT et la CGTU fusionnent aux cris de : « Unité, unité ! »

Un comité de vigilance des intellectuels antifascistes (Aragon, Gide, Malraux) est créé sous la direction d'un radical, d'un socialiste et d'un communiste (3 mars).

La stratégie communiste. Tirant les leçons de l'arrivée au pouvoir de Hitler (favorisée par la division des partis de gauche en Allemagne), en mai, l'Internationale communiste s'oriente vers la stratégie des « Fronts populaires ». L'ennemi prioritaire n'est plus le socialiste (dénoncé autrefois comme social-traître), mais le fasciste. Le 23 juin, la conférence du PC propose à la SFIO un pacte d'unité d'action.

27 juillet. Un premier pacte d'unité d'action est établi entre la SFIO et le PC. Maurice Thorez, secrétaire général du PCF, est chargé d'appliquer la nouvelle ligne de l'Internationale communiste : pour lutter contre le fascisme, les communistes doivent se rapprocher des partis démocratiques.

1935 **Le 14 juillet unitaire.** 500 000 manifestants défilent de la Bastille au cours de Vincennes derrière Thorez, Blum et Daladier.

Les décrets-lois Laval. Le 16 juillet, Laval, président du Conseil, commence une politique de déflation rigoureuse. Pour réduire le déficit du budget et provoquer une baisse générale des prix, il décide d'une réduction de toutes les dépenses de l'État (y compris les traitements des fonctionnaires, de 10 %). Cela amènera bien des hésitants à voter pour la gauche.

1936 **Le programme du Rassemblement populaire.** Le 12 janvier, autour du slogan « Le pain, la paix, la liberté », un accord de désistement entre les candidats des divers partis de gauche est conclu pour le second tour des élections du printemps 1936. En mars, cette entente est complétée par la réunification syndicale, la CGTU rejoignant la CGT.

LA RÉPUBLIQUE DÉSTABILISÉE

■ La crise politique

Au début de l'année 1934, un scandale politico-financier déclenche une crise de régime. L'escroc Alexandre Stavisky a bénéficié de complicités au sein du Parti radical alors au pouvoir. Le 8 janvier, Stavisky est trouvé mort – suicidé, dit-on – par la police qui cerne sa villa. La presse de droite parle d'assassinat. Les manifestations organisées par l'Action française et les Jeunesses patriotes contraignent le radical Chautemps à la démission. Daladier, radical lui aussi, lui succède. Il est décidé à faire toute la lumière sur l'affaire et à réprimer l'agitation des ligues d'extrême droite.

■ La manifestation du 6 février

Les ligues d'extrême droite choisissent le 6 février, date de présentation du nouveau gouvernement à la Chambre, pour manifester contre Daladier, qui a renvoyé le préfet de police Chiappe, jugé trop tolérant envers ces ligues. Des associations d'anciens combattants sont également présentes. De 19 heures à minuit, une foule hostile se heurte aux forces de l'ordre. Celles-ci tirent pour défendre l'accès à la Chambre des députés. Le bilan officiel est de 15 morts et de 900 blessés.

■ Le spectre du fascisme

Le 7 février, malgré la majorité dont il dispose à la Chambre, Daladier démissionne face à l'agitation de la rue. L'ancien président de la République Gaston Doumergue, radical modéré, revient de sa retraite pour former un cabinet d'union nationale appuyé sur les radicaux et la droite. Celle-ci revenant au pouvoir, l'agitation entretenue par les ligues cesse. La majorité de gauche, en place depuis 1932, a donc éclaté. Pour répondre à ce qu'ils estiment être une « menace fasciste », les militants de gauche organisent des contre-manifestations et réclament de leurs partis l'unité d'action antifasciste.

Simple manœuvre d'intimidation, semble-t-il, le 6 février n'est ni un putsch ni une véritable tentative de renversement du régime, du moins pour la majorité des manifestants. La mobilisation des gauches contre ce que celles-ci ressentent comme une « menace fasciste » fait cependant du 6 février un événement déterminant dans l'histoire politique des années 1930.

ARRESTATION DE L'ESCROC STAVISKY A MARLY-LE-ROI

Première arrestation d'Alexandre Stavisky, en juillet 1926 : gravure pour la 4e du *Petit Journal illustré*, n° 1859

La victoire du Front populaire

Aux élections d'avril-mai 1936, le Front populaire (alliance électorale des socialistes, radicaux et communistes) obtient la majorité absolue à la Chambre. Les socialistes étant les plus nombreux, leur leader, Léon Blum, forme un gouvernement qui prend une série de mesures sociales sans précédent en France.

1936
La victoire électorale. Les législatives (26 avril-3 mai) marquent la victoire du Front populaire qui, au second tour, rassemble 369 députés contre 236 à droite. Affaibli, le Parti radical se trouve cependant en position charnière : sans lui, pas de majorité.

Le cabinet Blum. Le 4 juin, Léon Blum forme le gouvernement avec des socialistes et des radicaux. Les communistes apportent leur soutien mais ne participent pas. Trois femmes sont sous-secrétaires d'État alors que les femmes n'ont pas le droit de vote, le Sénat s'y étant toujours opposé.

Les accords Matignon (7 juin). Tandis qu'une vague de grèves touche près de 2 millions de salariés, Léon Blum réunit les représentants du patronat et ceux de la CGT. Les accords Matignon garantissent les libertés syndicales, instaurent des délégués élus du personnel, prévoient des augmentations de salaires de 7 à 15 %. En outre, le gouvernement favorise les conventions collectives par branches économiques.

Les grandes réformes. Par les lois des 10-11 et 20 juin, le Parlement vote 12 jours ouvrables de congés payés annuels et limite à 40 heures la durée de la semaine de travail. En août, la scolarité obligatoire passe de 13 à 14 ans. Le ministre de l'Éducation nationale Jean Zay jette les bases du CNRS, du festival de Cannes, de l'ENA.

Blum crée l'Office du blé, qui doit régulariser le marché et fixe un prix minimum. De grands travaux sont prévus (électrification des campagnes…).

Les nationalisations. La Banque de France est quasi nationalisée. Le gouvernement Blum nationalise aussi des industries de guerre, lance un vaste programme d'équipement militaire de quatre ans, qui doit rattraper le retard français dans ce domaine. (La SNCF sera créée en 1937.)

L'opposition de droite. Le Front populaire rencontre de fortes oppositions de la droite et de l'extrême droite. Depuis le début de 1936, les capitaux fuient vers la Suisse. Léon Blum est en butte à des attaques antisémites. Le ministre de l'Intérieur Roger Salengro, victime d'une campagne de presse calomnieuse, se suicide. Les ligues d'extrême droite, dissoutes, se reconstituent en partis.

Les dissensions internes. Depuis l'éclatement de la guerre civile en Espagne en juillet, et afin de ménager les radicaux et le gouvernement britannique, Blum refuse d'intervenir aux côtés des républicains espagnols. Il fait adopter par le gouvernement le principe d'une « convention internationale de non-ingérence ». 27 pays vont signer l'accord mais cette prise de position le coupe des communistes.

La politique algérienne (30 décembre). Maurice Viollette, chargé de la politique algérienne, dépose un projet de loi donnant le droit de vote à plus de 20 000 musulmans.

LES GRÈVES DE 1936

◼️ Une vague de grèves exceptionnelle

Une vague de grèves accompagne la victoire électorale du Front populaire. On compte près de 2 millions de grévistes, 9 000 occupations des lieux de travail. Le mouvement commence au Havre à l'usine Bréguet, se propage à Toulouse chez Latécoère, puis en région parisienne dans la métallurgie... Les services sont touchés à leur tour : les assurances, le commerce petit ou grand... Seul le secteur public ne suit pas. L'ambiance est festive ; l'outil de travail est respecté. On occupe le temps à jouer aux cartes, à jouer de l'accordéon... Le ravitaillement est assuré par les femmes et les enfants. Les « stars » comme Mistinguett viennent chanter pour les grévistes que soutiennent les municipalités de gauche.

◼️ L'espoir de jours meilleurs

La droite et le patronat dénoncent un complot communiste. Le mouvement a commencé dans les usines « taylorisées », où se pratique le travail à la chaîne, où les syndicats sont présents. Les revendications portent sur les salaires, les cadences, la liberté de faire grève. Mais les buts deviennent au fur et à mesure plus confus ; l'impulsion n'est pas venue des syndicats même si par la suite ils encadrent le mouvement. Les grèves semblent donc dans l'ensemble spontanées. Pour la philosophe

Simone Weil qui a travaillé chez Alsthom et Renault auparavant, « cette grève est en elle-même une joie ».

◼️ L'apaisement du mouvement

En dépit des accords Matignon, les grèves se poursuivent et culminent le 11 juin. Les communistes appellent à la reprise. Le secrétaire du parti communiste Maurice Thorez déclare : « Il faut savoir terminer une grève dès que satisfaction a été obtenue. » Déjà le 29 mai il avait répondu à l'article du 27 mai, « Tout est possible » du socialiste révolutionnaire Marceau Pivert, que « Tout n'était pas possible ». Le mouvement s'apaise cependant début août, mais les effectifs syndicaux se sont accrus : la CGT de nouveau unie à la CGTU passe de 800 000 à 4 millions de membres à la fin de 1936. Les grèves ont aussi souligné l'implication des femmes et renouvelé les rapports dans le monde du travail.

> Grèves de masse mais non grève générale, les grèves de 1936 sont, fait exceptionnel, ponctuées par l'occupation des lieux de travail dans 70 % des cas. Elles représentent un mouvement de joie et de libération, largement spontané, du moins dans ses débuts. Elles accompagnent d'importantes réformes sociales, déclenchent une vague de syndicalisation et modifient le mouvement social.

Grève aux usines Renault en 1936

La fin du Front populaire

La crise économique et monétaire oblige Léon Blum à annoncer une « pause » dans les réformes. Il démissionne après le refus du Sénat, en juin 1937, de lui accorder les pleins pouvoirs financiers. Un second cabinet Blum, en mars 1938, est un échec. À partir d'avril, le gouvernement Daladier met fin définitivement au Front populaire en supprimant certaines de ses réformes et accorde la priorité au réarmement.

1937 **La pause** (14 février). En butte à l'hostilité de la droite et des milieux d'affaires et devant la crise financière, Blum annonce une « pause » dans les réformes. La hausse des prix a absorbé les augmentations de salaires ; la dévaluation de septembre 1936 n'a pas enrayé la fuite des capitaux.

La chute du gouvernement Blum (20 juin). Les sénateurs radicaux joignent leurs voix à celles de la droite pour refuser à Blum les pleins pouvoirs financiers et renverser son gouvernement. Blum démissionne le 21.

1938 **Les cabinets radicaux.** À partir de juin 1937, Chautemps dirige deux cabinets de Front populaire à direction radicale. Les socialistes ne participent pas au second. Chautemps démissionne le 9 mars 1938, en pleine crise internationale.

Le second cabinet Blum. Le 13 mars, jour de l'annexion de l'Autriche par Hitler, Blum revient au pouvoir avec un programme ouvertement socialiste : impôt sur le capital, alourdissement de l'impôt sur le revenu, amorce d'un contrôle des changes. Le Sénat refuse une seconde fois les pleins pouvoirs en matière financière (8 avril). Ainsi s'achève l'expérience du Front populaire.

Le retour des radicaux. Le 10 avril, Daladier constitue un ministère à direction radicale appuyé sur la droite modérée et sans les socialistes. Il présente son gouvernement comme un « gouvernement de Défense nationale » et reçoit du Parlement l'autorisation de procéder par décrets-lois. Une nouvelle dévaluation est décidée en mai afin d'aligner les prix des produits français sur les prix mondiaux et de relancer l'activité industrielle.

Les accords de Munich (30 septembre). À Munich, Daladier signe, avec Hitler, Mussolini et l'Anglais Chamberlain, l'annexion par l'Allemagne nazie d'une partie de la Tchécoslovaquie, pourtant alliée de la France. Le PC critique le gouvernement, coupable à ses yeux de trahir l'idéal antifasciste du Front populaire ; les socialistes se résignent à approuver les accords. « Munichois » pacifistes et « antimunichois » s'opposent.

La fin des réformes du Front populaire. Paul Reynaud, ministre des Finances, gouverne par décrets-lois : abandon de la semaine de 40 heures, réduction du tarif des heures supplémentaires, étalement des congés payés.

La grève générale organisée par la CGT le 30 novembre est un échec. Le gouvernement Daladier l'a fait échouer par la menace et la réquisition. Une répression sévère s'abat sur les militants ouvriers.

L'affaire de Clichy (16 mars). De violents affrontements opposent des militants de gauche et de droite. Une fusillade éclate, faisant 5 morts et plus de 200 blessés.

L'ESPRIT DE 36

◼ La découverte du temps libre

Les accords Matignon ont amélioré les conditions de travail, la semaine de travail n'est plus que de 40 heures mais l'acquis le plus emblématique du Front populaire reste les congés payés. Pour la première fois, les ouvriers ont droit à des vacances et touchent quand même leur plein salaire ! Ils prennent le train grâce aux billets à prix réduits (40 %) et ce sont aussi des milliers de bicyclettes et de tandems qui, dans une atmosphère joyeuse, partent sur les routes. C'est « l'embellie, l'éclaircie dans les temps difficiles » (Léon Blum).

◼ Une immense espérance

« Allons au-devant de la vie » : ces paroles de l'hymne du Front populaire (musique de Chostakovitch) invitent à toutes les espérances. On les chante dans les auberges de jeunesse créées par Léo Lagrange, à la tête du nouveau sous-secrétariat d'État aux Sports, à la Culture et aux Loisirs, rattaché à la Santé. Les auberges, déjà au nombre de 400 en décembre 1936, sont patronnées par des clubs de loisirs. Des stades sont mis en chantier, Jean Zay institue le Brevet sportif populaire. Les bibliothèques populaires sont encouragées ; les théâtres et les musées offrent des prix réduits. L'objectif est de mettre la culture à la portée de tous.

De toutes les mesures en faveur des salariés, la réforme la plus mythique, et qui n'a jamais été remise en cause, est l'octroi des congés payés annuels. Honnis par la droite, synonymes de dignité et de liberté retrouvées, ils attestent de l'idéal humaniste qui a été celui du premier gouvernement Blum. C'est en grande partie à travers eux que le Front populaire reste un moment fort de la mémoire de l'histoire de France.

◼ Un moment clé de la mémoire nationale

Le Front populaire a fait naître bien des mythes. Pour la droite, Lagrange dirige le « ministère de la Fainéantise » et les « salopards en casquette » ont menacé l'ordre social et conduit à la guerre. Pourtant, le budget de l'armement a été plus important que celui des réformes sociales. À gauche, c'est le mythe des millions de Français découvrant la mer. Il y eut en fait 600 000 départs en 1936, et le plus souvent pour peu de jours et sur de courtes distances. Mais le Front populaire demeure une référence que la mémoire nationale fait revivre dans les crises ou les temps forts de l'histoire, la Résistance, la Libération, mai 1968, 1981…

Les premiers congés payés. « Chaque fois que […] j'ai vu les routes couvertes de […] tandems […], j'avais le sentiment d'avoir malgré tout apporté une embellie, une éclaircie dans des vies difficiles, obscures. » (Léon Blum)

Les débuts de la Seconde Guerre mondiale

Affaiblie par les effets de la crise économique, moralement divisée, isolée diplomatiquement et ne possédant qu'une stratégie défensive, la France est mal préparée au conflit, qui commence en septembre 1939. Après dix mois de « drôle de guerre », la France est envahie et Paris investi. Devenu président du Conseil le 16 juin 1940, le maréchal Pétain signe l'armistice le 22.

1939 **Le recul des pacifistes.** En mars, l'invasion de la Tchécoslovaquie par Hitler fait évoluer la diplomatie française vers davantage de fermeté vis-à-vis des dictatures. Les « munichois » deviennent minoritaires.

La mobilisation française. Après l'invasion de la Pologne par l'Allemagne, la France mobilise le 1er septembre et décrète l'état de siège.

La déclaration de guerre. Le 3 septembre, quelques heures après le Royaume-Uni, la France déclare la guerre à l'Allemagne. Les communistes, bien qu'ils aient voté les crédits de guerre, soutiennent le pacte de non-agression signé en août entre Hitler et Staline. Le PCF est dissous ; Maurice Thorez, mobilisé, déserte et se réfugie à Moscou.

La stratégie défensive. La Pologne est défaite en 15 jours par le Blitzkrieg, la guerre éclair. L'armée française s'abrite derrière la ligne Maginot.

1940 **La « drôle de guerre ».** 1er mars. Les premières mesures de rationnement apparaissent. Le 20 mars, Paul Reynaud, représentant de la droite modérée, remplace Daladier, jugé trop attentiste. Dix mois de « drôle de guerre », et d'inaction, démoralisent l'armée française. Seules des opérations périphériques (ainsi en Norvège) sont menées avec le Royaume-Uni.

L'invasion. Hitler attaque le 10 mai. Il vient d'envahir les Pays-Bas et la Belgique. Les divisions allemandes percent le front à l'ouest de Sedan (là où s'arrête la ligne Maginot !). Elles remportent la Bataille de France et atteignent la Manche en une semaine, isolant 600 000 Français et Anglais à Dunkerque.

10 juin. L'Italie déclare la guerre à la France.

L'exode. C'est la débâcle et l'exode des civils qui fuient l'envahisseur. Plus de six millions de personnes errent sur les routes, vers le sud.

Paris occupé (14 juin). Les troupes allemandes entrent dans la capitale.

L'armistice. Le 16 juin, Paul Reynaud démissionne ; il est remplacé par son ministre de la Défense nationale Pétain, qui impose l'armistice au gouvernement divisé et réfugié près de Tours puis à Bordeaux. L'armistice est signé le 22 juin : le pays est aux deux tiers occupé, coupé en deux zones par la ligne de démarcation, infranchissable sans autorisation allemande. La France doit payer un lourd tribut journalier. 1 600 000 hommes sont prisonniers en Allemagne.

L'appel du général de Gaulle. Le 18 juin, le général de Gaulle, sous-secrétaire d'État à la Guerre et à la Défense nationale, alors inconnu du grand public, lance de Londres un appel à la résistance.

L'APPEL DU 18 JUIN 1940

■ L'appel historique

Le 18 juin 1940, à 20 heures, au micro de la BBC, le général de Gaulle invite « les officiers et soldats français qui se trouvent en territoire britannique ou qui viendraient à s'y trouver […] à se mettre en rapport avec lui ». Ce premier appel à la résistance extérieure s'adresse aux militaires français pour que, dans une guerre que de Gaulle pressent mondiale, tous continuent le combat au côté de l'Empire britannique. Peu de Français captent ce message.

■ L'homme du 18 Juin

Né en 1890, le colonel de Gaulle commande la 4e division de chars aux environs d'Abbeville en mai 1940 ; le 25 mai, il est promu général de brigade à titre temporaire. Le 5 juin, il est nommé par Paul Reynaud sous-secrétaire d'État. Le 17, après la constitution du gouvernement Pétain, il décide de s'exiler à Londres. Il n'a alors plus de fonction gouvernementale, ni de commandement. Mais le Premier ministre britannique Churchill met la BBC à sa disposition.

■ Les appels du général

L'appel du 19 juin a une portée plus large que celui du 18. De Gaulle s'adresse « à tout Français qui a encore des armes » et qui « a le devoir absolu de continuer la résistance », avec une attention particulière « à l'Afrique du Nord intacte ». Un troisième appel, le 22 juin, est étendu « aux soldats, marins, aviateurs où qu'ils se trouvent actuellement ». Après l'armistice, de Gaulle veut constituer un comité national. Le 28 juin, ses appels réitérés n'ayant réussi à rallier aucun des grands chefs militaires, ni aucun territoire de l'Empire, le gouvernement britannique reconnaît en Charles de Gaulle « le chef des Français libres ».

A TOUS LES FRANÇAIS

La France a perdu une bataille !
Mais la France n'a pas perdu la guerre !

Des gouvernements de rencontre ont pu capituler, cédant à la panique, oubliant l'honneur, livrant le pays à la servitude. Cependant, rien n'est perdu !

Rien n'est perdu, parce que cette guerre est une guerre mondiale. Dans l'univers libre, des forces immenses n'ont pas encore donné. Un jour, ces forces écraseront l'ennemi. Il faut que la France, ce jour-là, soit présente à la victoire. Alors, elle retrouvera sa liberté et sa grandeur. Tel est mon but, mon seul but !

Voilà pourquoi je convie tous les Français, où qu'ils se trouvent, à s'unir à moi dans l'action, dans le sacrifice et dans l'espérance.

Notre patrie est en péril de mort. Luttons tous pour la sauver !

VIVE LA FRANCE !

C. de Gaulle

GÉNÉRAL DE GAULLE

QUARTIER-GÉNÉRAL, 4, CARLTON GARDENS, LONDON, S.W.1.

Affiche apposée à Londres le 3 août 1940 et résumant l'appel du 18 Juin. Elle sera parachutée en France par les Anglais et distribuée clandestinement.

Peu et mal entendu sur le territoire national, l'appel du 18 Juin marque la naissance difficile d'une résistance extérieure : la France libre. L'appel va pourtant avoir un écho certain, plus tard amplifié par une guerre des ondes régulière sur la BBC.

Le 18 juin, à Londres : Charles de Gaulle lance son premier appel aux Français. De Gaulle fut d'abord une voix, celle de la Résistance, avant de devenir un visage.

L'État français

Le maréchal Pétain reçoit les pleins pouvoirs le 10 juillet 1940 et engage la France dans la collaboration. Installé en « zone libre » à Vichy, il crée l'État français et entreprend la « révolution nationale », politique réactionnaire et antisémite. De Gaulle, depuis Londres, appelle à la résistance extérieure et crée la France libre. En France, la résistance active reste longtemps minoritaire. Le 11 novembre 1942, les Allemands occupent la zone libre.

1940

L'État français. Le 10 juillet, à Vichy, députés et sénateurs votent, par 569 voix contre 80, les pleins pouvoirs au maréchal Pétain. Le 11, celui-ci se nomme lui-même chef de l'État et promulgue les trois premiers actes constitutionnels fondant l'État français. La Chambre et le Sénat sont suspendus.

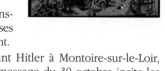

Le régime de Vichy restaure les valeurs traditionnelles (« Travail, Famille, Patrie »). Un service civil de neuf mois dans les « chantiers de jeunesse » est créé pour les jeunes de la zone sud. Les grandes confédérations syndicales, ouvrières et patronales sont supprimées (novembre). Des « familles » professionnelles vont être constituées, en fait dominées par le patronat.

La politique antisémite. Dès le 3 octobre, Vichy institue un statut des Juifs, qui exclut ceux-ci de nombreuses professions ainsi que des entreprises qu'ils possèdent.

L'entrevue de Montoire (24 octobre). Rencontrant Hitler à Montoire-sur-le-Loir, Pétain convient d'une collaboration politique. Son message du 30 octobre incite les Français à entrer dans la voie de la collaboration d'État.

1941

L'aggravation des mesures antisémites. Un Commissariat général aux questions juives est créé le 29 mars. En mai, des milliers de Juifs sont arrêtés. En juin, un second statut des Juifs instaure un recensement obligatoire.

La centralisation. L'autorité de l'État est renforcée par la création de 15 préfectures régionales (avril). Les maires et conseillers municipaux des villes de plus de 2 000 habitants sont nommés et non plus élus.

1942

Le procès de Riom. Début, en février, du procès des hommes politiques du Front populaire tels Édouard Daladier ou Léon Blum, « responsables » de la guerre et de la défaite.

La collaboration d'État s'amplifie. Elle est orchestrée par Laval, ancien vice-président de Pétain, renvoyé en décembre 1940, et rappelé en avril sous la pression des Allemands, comme chef du gouvernement.

La Rafle du Vél d'Hiv. En mai, le port de l'étoile jaune est obligatoire. Les 16 et 17 juillet, 13 152 Juifs sont arrêtés par des gendarmes et policiers français, parqués au vélodrome d'Hiver à Paris puis déportés dans les camps. Au total, 76 000 Juifs ont été déportés depuis la France vers les camps d'extermination. Seuls 3 % en revinrent.

L'occupation totale. Le 11 novembre, les Allemands envahissent la zone sud pour riposter au débarquement anglo-américain en Afrique du Nord. Le 27 novembre, la flotte française se saborde à Toulon pour échapper aux Allemands.

LA RAFLE DU VÉL D'HIV

◤ L'opération « Vent printanier »

Dans le cadre de l'opération « Vent printanier » organisée par les nazis pour déporter les juifs de tous les pays européens occupés, la police et les gendarmes français arrêtent 13 152 juifs apatrides ou étrangers réfugiés en France. Plus d'un tiers de ces juifs qui se trouvent en zone nord sont des enfants, raflés à partir de 2 ans. Les listes ont été établies par les autorités françaises du gouvernement de Pétain, installé à Vichy.

◤ L'enfer du Vél d'hiv

Les célibataires et les couples sans enfant sont conduits au camp de Drancy, étape vers Auschwitz-Birkenau. Les familles sont parquées dans le vélodrome d'hiver, stade couvert, dans le XVe arrondissement de Paris. Là, pendant deux jours, plus de 8 000 personnes restent sans nourriture, avec un seul point d'eau potable. Seuls trois médecins et une dizaine d'infirmières sont autorisés à pénétrer. Les familles, enfermées ensuite dans les camps de Pithiviers et de Beaune-la-Rolande (Loiret), sont déportées an août à Auschwitz (femmes et enfants séparément). Aucun enfant ne survivra ; moins d'une centaine d'adultes reviendront à la fin de la guerre.

◤ Le symbole de l'antisémitisme et de la collaboration

Si des actes individuels ont sauvé une partie de ceux qui devaient être raflés, la responsabilité de l'État français est écrasante. Longtemps mise de côté, elle est mise en évidence progressivement à partir des années 1970-1980 et reconnue officiellement par le président Jacques Chirac en 1995.

> La rafle du Vél d'hiv s'inscrit dans la politique antisémite et collaboratrice de l'État français (ordonnances de 1940-1941, fichier juif...). Elle marque aussi le début d'une fracture dans l'opinion publique française.

C'est par autobus que les familles arrêtées par la police française sont conduites jusqu'au vél d'hiv pour être parquées.

Depuis juillet 1942, une ordonnance allemande oblige les juifs en zone ocupée à porter une étoile jaune cousue sur leurs vêtements, à partir de l'âge de 6 ans. La mesure s'ajoute à toutes les actions discriminatoires déjà accomplies (statuts des juifs de l'État français, rafles...) et au premier convoi de déportés pour Auschwitz le 27 mars 1942.

La Résistance

Les résistants refusent l'occupation de la France et l'ordre nazi. Venus d'horizons divers, la résistance est d'abord duale, à l'extérieur et à l'intérieur du territoire. Mais les résistants s'unissent peu à peu ; leur objectif est de libérer le territoire et de reconstruire la démocratie après la guerre.

1940 **L'appel du 18 juin.** Le général de Gaulle, depuis Londres, invite les militaires français à la résistance. Le 1er juillet, de Gaulle crée les FFL ou Forces françaises libres qui vont se battre aux côtés des armées alliées.

Le premier numéro de *Résistance* (15 décembre). Il émane du groupe Musée de l'Homme, l'un des premiers mouvements de résistance en zone nord.

1941 **La création du Front national** (15 mai). Ce Front national de lutte pour la libération et l'indépendance de la France émane du PCF.

La fondation du CNFL (Comité national de la France libre) (24 septembre). Le Comité transmet ses messages par la BBC.

L'attentat contre l'aspirant allemand Moser (21 août). L'attentat est perpétré par le communiste Pierre Georges (Colonel Fabien), au métro Barbès à Paris.

La fondation du mouvement Combat (1er novembre). Le mouvement d'Henri Frénay est l'un des grands mouvements de résistance de la zone sud.

1942 **La création des FTP, Francs-Tireurs partisans** (10 avril). Les FTP mènent la lutte armée ; créés par le PCF, ils s'ouvrent progressivement aux non communistes.

La France libre devient **la France combattante** (14 juin).

1943 **La création de la Milice** (3 janvier). Elle supplée la Gestapo et poursuit les résistants.

La création du MUR (26 janvier). Il réunit les trois principaux mouvements de zone sud.

L'obligation du STO (16 février). Les réfractaires grossissent les rangs des premiers maquis.

La fondation du CNR (Conseil national de la résistance) (27 mai). Le CNR, mis en place sous l'impulsion de Jean Moulin à Paris, regroupe 8 mouvements de résistance, 2 confédérations syndicales et 6 tendances politiques dont les communistes.

La création du Comité français de Libération nationale (3 juin). Le CFN associe la France libre et la résistance intérieure et se veut l'autorité légitime de la France.

Ancien préfet d'Eure-et-Loir démis de ses fonctions par Pétain, Jean Moulin rejoint Londres en octobre 1941. Représentant personnel du général de Gaulle, après plusieurs missions clandestines, il fonde le CNR le 27 mai 1943. Arrêté le 21 juin, torturé par la Gestapo de Lyon, il meurt le 8 juillet. Ses cendres sont tranférées au Panthéon le 19 décembre 1964.

1944 **La fondation du GPRF** (2 juin). Le Gouvernement provisoire de la République française est créé à partir du CFN. Les combattants de la résistance intérieure ou FFI, institués depuis le 1er février 1944, sont placés sous son autorité.

LA VIE QUOTIDIENNE DES FRANÇAIS SOUS L'OCCUPATION

◼ L'angoisse quotidienne

Particulièrement dans la zone nord jusqu'en 1942, puis sur tout le territoire, les Français vivent dans la peur des représailles, des prises et exécutions d'otages, des massacres (Oradour-sur-Glane, 10 juin 1944), des bombardements. Les juifs sont persécutés. Près d'un million de prisonniers de guerre vont rester détenus en Allemagne pendant la durée du conflit. Le STO concerne tous les Français de 18 à 50 ans et les Françaises de 21 à 35 ans .

◼ Une économie de survie

La désorganisation de la production et des infrastructures ainsi que les prélèvements allemands créent une dramatique situation de pénurie. Les produits alimentaires, les tissus, le charbon, l'essence, l'électricité… sont l'objet d'un strict rationnement qui engendre le marché noir. Les maladies et la mortalité s'accroissent, dues à la sous-alimentation, à la pénurie de médicaments mais aussi à des hivers particulièrement froids.

◼ La richesse de la vie littéraire et artistique

Malgré la censure et les difficultés matérielles, la vie littéraire et artistique est en plein essor. Les Français veulent aussi se distraire par les spectacles. Le cinéma produit des chefs d'œuvre comme *Les visiteurs du soir* de Marcel Carné ; le théâtre présente *Antigone* d'Anouilh, *Les mouches* de Sartre… Au music-hall, ce sont Maurice Chevalier, Édith Piaf… que l'on va écouter. Albert Camus écrit *L'étranger*… La radio devient un média de masse.
Situation paradoxale : l'art et la littérature sont au coeur de la propagande mais sont aussi une des formes de la résistance.

En dehors d'une minorité de collaborateurs économiques et de collaborationnistes idéologiques, les Français, d'abord attentistes, ont de plus en plus mal supporté l'occupation. Ce fut la France des « années noires ».

Jusqu'au 11 novembre 1942, la France est coupée en deux par la ligne de démarcation. Il existe aussi entre autres une zone annexée : l'Alsace Moselle, une zone rattachée au commandement allemand de Bruxelles : le Nord, et une zone d'occupation italienne à partir de novembre 1942.

La France libérée

Alors que le régime de Pétain intensifie la collaboration avec les nazis, à l'intérieur, les groupes résistants fusionnent avant de constituer le Conseil national de la Résistance (CNR), sous la présidence de Jean Moulin. De Gaulle, peu à peu reconnu seul chef de « la France combattante », prend la tête du Gouvernement provisoire de la République française. La Résistance, unie, participe activement à la libération du pays.

1943

Janvier. Darnand crée la milice française pro-nazie qui conduit la chasse aux résistants.

Le STO (16 février). Le Service du travail obligatoire en Allemagne est institué pour les jeunes Français de 21 à 23 ans. Le refus du STO entraîne de nombreux jeunes gens vers les maquis (Ain, Vercors…) de la Résistance.

Le CNR. Le 27 mai, sous la présidence de Jean Moulin, envoyé du général de Gaulle, se tient à Paris la première réunion du Conseil national de la Résistance (CNR). S'y retrouvent des délégués de tous les mouvements de résistance, des partis politiques, de la CFTC et de la CGT.

Les FFI (29 décembre). Les combattants de la Résistance en métropole se regroupent dans les Forces françaises de l'intérieur, sous les ordres du général Kœnig.

1944

La préparation de l'après-guerre. Le 15 mars, le CNR élabore un programme de réformes économiques et sociales pour l'après-guerre. Formé à Alger le 3 juin 1943, reconnu en août par les Alliés, le Comité français de libération nationale (CFLN), dans lequel sont entrés des communistes, prend le titre de « Gouvernement provisoire de la République française » ou GPRF.

Le vote des femmes. Le 22 avril, une ordonnance du GPRF donne le droit de vote aux femmes.

Les débarquements alliés. Le 6 juin, Anglais, Canadiens et Américains débarquent en Normandie. Les FFI participent aux combats de la Libération.

Plusieurs maquis sont détruits par les Allemands, qui se replient après le débarquement en Provence des troupes franco-américaines du général de Lattre de Tassigny (15 août).

Paris libéré. Le 25 août, la 2e division blindée (DB) du général Leclerc épaule l'insurrection parisienne contre l'occupant. De Gaulle, à l'Hôtel de Ville, prononce son discours devenu célèbre sur « Paris libéré ». Le 2 septembre, le GPRF s'installe dans la capitale.

La restauration de l'État. En octobre, l'autorité de l'État s'impose par l'instauration de commissaires de la République et de préfets. Le GPRF est officiellement reconnu par les Alliés. Il doit reconstruire le pays et refaire l'unité nationale.

1945

La capitulation allemande (8-9 mai). Écrasée, l'Allemagne signe, à Reims puis à Berlin, une « capitulation sans condition ». De Gaulle obtient la présence de la France, représentée par le général de Lattre.

Le procès de Pétain (23 juillet-15 août). La condamnation à mort de Pétain est commuée en détention à perpétuité.

La Sécurité sociale (4-19 octobre). Par ordonnance, le gouvernement crée la Sécurité sociale obligatoire pour tous les salariés.

L'Assemblée constituante (21 octobre). Le PCF (159), la SFIO (146) et le Mouvement républicain populaire (150) rassemblent l'essentiel des 586 sièges de la première Constituante.

LE DÉBARQUEMENT DE NORMANDIE

■ Le jour J

Le 6 juin, dès 0 h 15, 1 662 avions et 512 planeurs larguent 15 500 hommes des 82e et 101e divisions américaines sur Sainte-Mère-Église ; dès 0 h 20, autour d'Ouistreham, 733 avions et 355 planeurs larguent 7 990 hommes des 3e et 5e brigades britanniques. Dès 5 h 30, 722 navires de guerre et 4 266 bateaux de débarquement, avec près de 200 000 hommes et des milliers de tonnes de matériel, prennent position. L'artillerie de marine entreprend le pilonnage des positions allemandes, bombardées par près de 10 000 avions. À 6 h 30, fantassins et chars d'assaut commencent à débarquer sur les plages de Normandie. L'opération *Overlord* commence.

■ L'opération Overlord

La décision de débarquer entre l'Orne et la Vire sur des plages de sable fin en pente douce a été prise en 1943. L'opération est minutieusement préparée pendant de longs mois par le général Eisenhower afin de rassembler le matériel et d'entraîner les troupes. Un des premiers objectifs sera de construire le port artificiel d'Arromanches : les jetées seront faites de navires sacrifiés et de blocs de béton coulés, les quais d'accostage de caissons métalliques remorqués depuis l'Angleterre. Les 1er et 5 juin 1944, des messages anglo-saxons à destination de la Résistance française l'invitent à l'action immédiate.

■ Au soir du « jour le plus long »

En dépit de l'effet de surprise, les troupes allemandes de Rommel résistent farouchement en s'appuyant sur les blockhaus du mur de l'Atlantique. Quelques heures après le débarquement, de Gaulle appelle les Français à se mobiliser. Malgré les lourdes pertes humaines, le soir du jour J, 135 000 hommes tiennent 85 km de côte. La « croûte » du système défensif côtier allemand est brisée. Mais ce n'est qu'un début : la bataille de la tête de pont durera six semaines de plus que ne le prévoyait l'opération Overlord.

> La libération de la France s'est accomplie en grande partie grâce à la prodigieuse opération que fut le débarquement de Normandie, le 6 juin 1944. Le prix de la réussite est cependant lourd : 10 000 morts en un seul jour (dont 6 000 Américains), mais, au bout du plus grand débarquement de l'histoire, la fin d'une guerre totale de six ans.

Arrivée des soldats alliés sur les plages de Normandie, le 6 juin 1944

Les débuts
de la IVᵉ République

La France libérée, d'ambitieuses réformes sont engagées. Après la démission de de Gaulle en janvier 1946, la vie politique est dominée par le tripartisme (MRP, SFIO, PC). Après mai 1947, l'opposition du PCF s'ajoute à celle des gaullistes. Les gouvernements « de la 3ᵉ force » reconstruisent la France (avec l'aide américaine) dans le contexte des Trente Glorieuses mais aussi de la guerre froide et des guerres coloniales.

1945 **L'application du programme de la Résistance.** Gaullistes, communistes, socialistes et démocrates-chrétiens (MRP) forment le gouvernement du général de Gaulle. Des réformes sont engagées : nationalisations (grandes banques, Renault...), vote des femmes, création de la Sécurité sociale et des comités d'entreprise, lancement de la planification confiée à Jean Monnet...

1946 **La démission du général de Gaulle** (20 janvier). En désaccord avec les projets constitutionnels de l'Assemblée élue en octobre 1945, le général de Gaulle démissionne. PCF, SFIO et MRP ne s'accordent pas sur la nouvelle Constitution à donner au pays.
La naissance de la IVᵉ République. Le 13 octobre, après une première version de la Constitution, repoussée par référendum, la seconde est approuvée par un nouveau référendum. Le socialiste Vincent Auriol est élu premier président de la IVᵉ République (janvier 1947) par le Parlement (Assemblée nationale et Conseil de la République) réuni en Congrès.

1947 **Le départ des ministres communistes** (4 mai). Le socialiste Paul Ramadier, président du Conseil, révoque les ministres communistes en désaccord avec sa politique sociale et coloniale en Indochine insurgée. C'est la fin du tripartisme (PCF, SFIO, MRP). Les gouvernements dits « de la 3ᵉ force » (SFIO, MRP, radicaux et modérés) doivent combattre l'opposition des communistes et celle des gaullistes regroupés, d'avril 1947 à juillet 1952, dans le Rassemblement du peuple français (RPF).

1951 **La CECA** (18 avril). À l'initiative de Robert Schuman, le traité de Paris institue la Communauté européenne du charbon et de l'acier (France, Benelux, Italie, RFA) ; c'est une des premières étapes de la construction européenne.

1953 23 décembre. Les partis étalent leurs divisions : il ne faut pas moins de treize tours de scrutin pour élire René Coty second président de la IVᵉ République !

1954 **Diên Biên Phu.** Le 7 mai, la défaite de Diên Biên Phu marque la fin de l'occupation française en Indochine.
Le gouvernement Mendès France (18 juin). Investi après la chute de Diên Biên Phu, le gouvernement Pierre Mendès France bénéficie du soutien de la SFIO et, pour la première fois depuis mai 1947, de la neutralité du PCF. Inaugurant un style de gouvernement personnel, Mendès France se distingue par sa volonté d'action. Il signe les accords de Genève, qui mettent fin à la « sale guerre » d'Indochine, accorde l'autonomie à la Tunisie. Mais ayant accumulé les mécontentements, il est renversé en février 1955, les radicaux ne lui pardonnant pas l'abandon du projet de CED ou Communauté européenne de défense, refusé par la Chambre des députés le 31 août.

DIÊN BIÊN PHU

Le 13 mars 1954, le camp retranché de Diên Biên Phu, encerclé depuis 55 jours, tombe sous le feu d'une attaque massive du Vietminh.

◼ La « sale guerre »

De 1940 à 1945, l'occupation japonaise de l'Indochine française encourage le mouvement de décolonisation.

Le 2 septembre 1945, le leader indochinois Hô Chi Minh proclame l'indépendance du Viêtnam. Dans sa lutte contre la présence française, le Viêt-minh, mouvement communiste et nationaliste, reçoit l'aide de l'URSS puis de la Chine communiste à partir de 1949. La France, dans le contexte de la guerre froide, freine l'avance du communisme en Asie.

De 1946 à 1954, la guérilla menée par le général Giap, dans la jungle et les rizières, épuise l'armée française. L'opinion publique se désintéresse de cette guerre lointaine et ruineuse tandis que le Parti communiste français dénonce la « sale guerre ».

◼ La défaite de Diên Biên Phu

Noyé sous un déluge de feu depuis le 13 mars 1954, le camp retranché de Diên Biên Phu, commandé par le général de Castries, succombe au 55e jour de lutte. Les avions ne pouvant plus ni atterrir ni décoller, la garnison française, faute de munitions, doit capituler le 7 mai. Après de sanglants combats au corps à corps, les Français comptent 1 500 morts, 3 500 blessés graves et 10 000 prisonniers, dont 7 000 ne reviendront pas. Les meilleures unités du corps expéditionnaire sont décimées. En concentrant ses troupes dans la cuvette de Diên Biên Phu, le général Navarre, commandant en chef en Indochine, espérait attirer le Viêt-minh sur un terrain où il pourrait en découdre face à face. C'était compter sans la mobilisation de tout un peuple qui, par camions russes, par portage ou à bicyclette, concentra sur la cuvette une puissance de feu impressionnante (jusqu'à 2 400 mortiers !). De plus, l'armée française comptait sur l'aide militaire américaine qui n'est pas venue.

◼ Les accords de Genève, 20-21 juillet 1954

Quelques semaines après Diên Biên Phu, le gouvernement Mendès France signe la paix en Indochine : le Laos et le Cambodge obtiennent leur indépendance, le 17e parallèle sépare une zone Viêt-minh au nord d'une zone nationaliste au Sud-Viêtnam.

Diên Biên Phu est la seule bataille rangée de l'histoire de la décolonisation. La défaite de Diên Biên Phu entraîne le retrait des troupes françaises d'Indochine. C'est aussi le signe de la fin de l'Empire colonial français.

La Reconstruction

L'économie ruinée et le territoire dévasté sont à reconstruire. L'expansion démographique, des réformes structurelles (nationalisations, planification), l'apport de l'immigration ainsi que l'aide américaine, permettent à la France de se rétablir. À partir de 1953, le pays retrouve une croissance forte que va stimuler l'ouverture à l'Europe (CECA) et au monde.

1944 - 1946 **La vague des nationalisations.** Les Charbonnages de France, Renault puis les transports aériens, la Banque de France, quatre grandes banques de crédit, le gaz, l'électricité, onze compagnies d'assurances sont successivement nationalisés.

1945 **La mise en place de la sécurité sociale** (4-19 octobre). Par ordonnance du gouvernement, elle assure des prestations sociales pour tous les salariés.
La création du Haut-Commissariat à l'énergie atomique (18 octobre). Frédéric Joliot-Curie en deviendra le haut-commissaire en novembre.
Les difficultés alimentaires (1er novembre). La carte de pain est supprimée mais est rétablie le 28 décembre.

1946 **La création du Commissariat général au plan.** Sous la direction de Jean Monnet, il met en place une planification incitative. Le premier plan démarre en 1947 et donne la priorité à six secteurs de base pour la reconstruction et la modernisation économique.

1948 **L'inauguration du barrage de Génissiat (Ain)** (19 janvier). L'État poursuit la politique de production d'électricité hydroélectrique (Tignes, en Savoie).
La pénurie des logements (24 juin). Les loyers sont réglementés par une loi.
Le plan Marshall (28 juin). L'accord du plan américain est approuvé en conseil des ministres.
La mise en route de Zoé (15 décembre). La première pile atomique française est élaborée à Fontenay-aux-Roses dans la banlieue parisienne.

1949 **La fin du rationnement de l'essence** (4 décembre). Les produits sont revenus progressivement en vente libre.

1951 **Le gaz jaillit à Lacq** (19 décembre).

1952 **L'électrification de la ligne Paris-Lyon** (24 juin).

1953 **L'ouverture du marche commun du charbon et de l'acier** (10 février). C'est la mise en œuvre de la CECA, lancée par Robert Schumann en 1950.

1955 **Le premier vol de la Caravelle** (27 mars). Cet avion bi-réacteur moyen-courrier, commercialisé en 1958, symbolise la réussite technique et économique de la France comme l'hélicoptère Alouette ou encore la DS Citroën à la pointe de l'innovation.
28-29 mars La CC 7107 et la BB 9004 de la SNCF battent **le record du monde de vitesse sur rail** avec une pointe à 331 km/h.

1958 **L'ouverture du marché commun.** Elle marque l'entrée en vigueur des traités de Rome de 1957.

RETROUSSONS NOS MANCHES
Ça ira encore mieux !

Affiche communiste de 1945 appelant à améliorer la productivité pour reconstruire la France. Au 1er janvier 1948, l'indice de la production industrielle est déjà supérieur à celui de 1930 ; en 1957, il en est le double.

LE DÉBUT DES TRENTE GLORIEUSES

■ La naissance de l'État-providence

L'État s'impose comme le garant des rapports sociaux, notamment avec les comités d'entreprise et la Sécurité sociale, établie par l'ordonnance d'octobre 1945. La protection sociale, le droit au travail et la solidarité sont inscrits dans le préambule de la Constitution. En 1946, le quotient familial allége l'impôt sur le revenu. Le SMIG (salaire minimum interprofessionnel garanti) est créé en 1950. En 1957, un minimum vieillesse est mis en place, financé en partie par la vignette automobile.

■ L'entrée dans la société de consommation

La production industrielle de masse et la hausse du niveau de vie moyen permettent aux Français d'équiper leur foyer et de profiter de leurs loisirs. La troisième semaine de congés payés est votée en 1956. La consommation est facilitée par des organismes de crédit comme le Cetelem (compagnie pour le financement des équipements électro-ménagers) créé en 1953. La FNAC (Fédération nationale d'achats des cadres) est fondée en 1954 ; 100 000 téléviseurs sont alors en service en France. Les constructeurs français livrent 900 000 véhicules particuliers (500 000 en 1952). Le premier « village » du club Méd ouvre en 1950, le livre de poche est lancé en 1953.

■ La persistance des difficultés

La crise financière demeure ; les régions se développent inégalement. L'exode rural s'accélère. Les « laissés pour compte » de la croissance comme les petits commerçants adhèrent au mouvement de Pierre Poujade. Malgré des constructions massives (1 million de logements à partir de 1952), le problème persiste. Il existe encore des bidonvilles dans les banlieues de certaines grandes villes. Dans l'hiver 1954, l'abbé Pierre lance un appel mémorable sur les ondes de Radio-Luxembourg.

Henri Grouès (le vrai nom de l'abbé Pierre) est un prêtre résistant, député MRP de 1945 à 1951. En 1949, il fonde le Mouvement Emmaüs pour venir en aide aux deshérités et lutter contre l'exclusion sociale. L'appel du 1er février 1954 provoque un immense mouvement de solidarité et rapporte 500 millions de dons.

La IVe République correspond au début de ce que l'on a appelé les Trente Glorieuses, la modernité économique et sociale. Mais ces années de croissance et de mutations n'ont pas été bénéfiques pour toute la société. On a pu ainsi évoquer les « Trente Rugueuses ».

Chaîne de montage de la 4 CV Renault dans les années 1950

La 4 CV Renault présentée au Salon de l'automobile en 1946 ou la 2 CV Citroën (en 1948) deviennent vite les voitures les plus populaires. Leur prix, accessible au plus grand nombre, est facilité par une production de type fordiste et par la main d'œuvre immigrée.

La fin de la IVᵉ République

La guerre d'Algérie qui commence en 1954 s'envenime très vite. Après la victoire du Front républicain aux élections de 1956, le socialiste Guy Mollet dirige le gouvernement, poursuit la construction de l'Europe et donne l'indépendance à la Tunisie et au Maroc. Mais il s'enlise dans le conflit algérien. La crise politique s'aggrave. L'insurrection algéroise du 13 mai ramène de Gaulle au pouvoir ; c'est la fin de la IVᵉ République.

1954 « Les Fils de la Toussaint » (1ᵉʳ novembre). La guerre d'Algérie commence. Une poignée de nationalistes algériens groupés en un FLN (Front de libération nationale) déclenche l'insurrection. La France réagit par une sévère répression aux attentats de la Toussaint.

1956 **Le mouvement poujadiste** (2 janvier). Aux élections législatives, le mécontentement des commerçants suscite le groupe éphémère de Pierre Poujade, l'Union de défense des commerçants et artisans. L'UDCA représente les laissés-pour-compte des Trente Glorieuses mais gagne aussi des suffrages d'extrême droite hostiles au gouvernement.

Le Front républicain. Les socialistes, les radicaux et quelques gaullistes rassemblés aux législatives de janvier dans un Front républicain, sur un programme de paix en Algérie, gagnent les élections. Le président du Conseil, le socialiste Guy Mollet, accueilli par des tomates à Alger, propose un programme : « Pacification, élection, négociation », qui se heurte à celui du FLN : l'indépendance immédiate. Le FLN multiplie les attentats.

La France décolonise (mars). Le Maroc (le 7) et la Tunisie (le 20) deviennent indépendants. La loi-cadre Defferre (le 23) définit les principes de l'autonomie interne et prépare la décolonisation de l'Afrique noire et de Madagascar.

Les réformes sociales. En mai, le gouvernement engage des réformes : troisième semaine de congés payés, création du fonds de solidarité vieillesse.

1957 **La bataille d'Alger.** Chargé de maintenir l'ordre, le général Massu dirige la bataille d'Alger, gagnée par les « paras » en janvier.

Les traités de Rome (25 mars). Ils créent l'Euratom (Communauté européenne de l'énergie atomique) et la Communauté économique européenne (CEE), véritable marché commun. La CEE vise à libérer tous les échanges dans l'Europe des Six (Belgique, France, Italie, Luxembourg, Pays-Bas, RFA).

Le contingent en Algérie. Avec le soutien des communistes, Guy Mollet instaure l'état d'urgence et envoie le contingent. Le « cancer algérien » mine la France financièrement, moralement et politiquement. Les actes de torture sont couverts par le gouvernement, qui chute le 21 mai 1957. De mai 1957 à avril 1958, l'incapacité des gouvernements à maîtriser le conflit algérien provoque une succession de crises ministérielles.

1958 **La crise du 13 mai.** Inquiets d'une possible négociation avec le FLN, Français et généraux d'Algérie déclenchent une insurrection et réclament la venue au pouvoir de de Gaulle, qui apparaît à beaucoup comme la seule issue devant le risque de guerre civile en France.

LE RETOUR DU GÉNÉRAL DE GAULLE

◼ À Alger, un pouvoir insurrectionnel

Le 13 mai 1958, la foule algéroise investit le siège du gouvernement général avec la complicité de la police et de l'armée. Un Comité de salut public, avec les généraux Massu et Salan, commandant en chef en Algérie, se présente devant les émeutiers. Objectif : empêcher l'investiture, à Paris, de Pierre Pflimlin, que l'on dit prêt à abandonner l'Algérie. Le 14, le général Massu réclame la venue au pouvoir du général de Gaulle.

◼ À Paris, le pouvoir légal

Depuis plus de trois ans, la France fait la guerre en Algérie et les gouvernements se succèdent en vain. Depuis le 15 avril, la France est même sans gouvernement. Pressenti le 8 mai par René Coty, président de la République, Pierre Pflimlin doit être investi le 13. La pression de la rue provoque un réflexe de dignité parlementaire : Pflimlin obtient une majorité forte. Dans la nuit du 13, les insurgés d'Alger se trouvent ainsi en face d'un gouvernement régulièrement investi de l'autorité de la République, mais le pouvoir légal ne parvient pas à maîtriser la situation : la Corse se rallie au pouvoir insurrectionnel d'Alger et, à Paris, on craint un coup d'État militaire.

◼ Le recours au général de Gaulle

Le 15 mai, de Gaulle publie une déclaration annonçant qu'il se tient « prêt à assumer les pouvoirs de la République ». Par une conférence de presse le 19, il reprend contact avec les responsables politiques et se refuse à désavouer Salan. Son communiqué du 27 mai

annonce qu'il a entamé « le processus nécessaire à l'établissement d'un gouvernement républicain ». Trois initiatives qui ont en commun de s'adresser à l'opinion et de faire basculer la crise de régime là où de Gaulle l'attend. Le 28, Pflimlin démissionne. Le 29, devant la menace des « paras » de Massu, René Coty fait appel au « plus illustre des Français » qui, le 31, forme son gouvernement. Investi le 1er juin, le gouvernement de Gaulle reçoit, le 3, les pleins pouvoirs pour élaborer une nouvelle Constitution. La IVe République est virtuellement morte le 3 juin, après trois semaines de crise ouverte.

> L'émeute du 13 mai conduit l'opinion publique à craindre une guerre civile. Utilisant habilement les médias, le général de Gaulle apparaît comme la seule issue pacifique et légale à la crise de régime.

Alger le 13 mai

La naissance de la Ve République

Le général de Gaulle, qui a toujours critiqué la IVe République (« régime d'assemblée, régime des partis »), veut un État fort et respecté. En septembre 1958, le projet de Constitution de la Ve République est approuvé par référendum avec 79,2 % de oui. Paradoxe : favori des ultras de « l'Algérie française », c'est de Gaulle qui, en quatre ans, désengage la France. Le 18 mars 1962, les accords d'Évian mettent fin au conflit.

1958 **L'investiture de de Gaulle.** Investi le 1er juin, le gouvernement du général de Gaulle reçoit, le 3, les pleins pouvoirs pour rétablir l'ordre en Algérie et élaborer une nouvelle Constitution.

La nouvelle Constitution (28 septembre). Ratifiée à une très large majorité par référendum, elle instaure un régime parlementaire avec des aspects présidentialistes. Le gouvernement est responsable devant l'Assemblée ; élu pour sept ans, par les « grands électeurs », le président de la République nomme le Premier ministre, peut dissoudre l'Assemblée et consulter la nation par référendum.

La « paix des braves ». En octobre, le FLN, qui vient de créer le GPRA (Gouvernement provisoire de la République algérienne), refuse la proposition de paix française.

Les succès gaullistes. Les 23 et 30 novembre, les élections législatives, au scrutin uninominal majoritaire à deux tours, voient le succès des gaullistes groupés en une Union pour la nouvelle République (UNR). Élu président de la Ve République, le 21 décembre, de Gaulle choisit Michel Debré comme Premier ministre.

Le nouveau franc. Pour résorber l'endettement provoqué par la guerre d'Algérie, le plan Pinay-Rueff réalise des économies budgétaires et dévalue le franc de 16,6 %. Le nouveau franc entrera en vigueur le 1er janvier 1960.

1959 **L'autodétermination** (16 septembre). De Gaulle offre aux Algériens de se prononcer sur leur avenir et de choisir le maintien dans la France, la sécession ou l'association.

1960 **La Semaine des barricades** (24-31 janvier). À la proposition d'autodétermination, officiers activistes et pieds-noirs ripostent par une semaine d'émeutes à Alger.

1961 **Le soutien de la métropole.** Le 8 janvier, un référendum approuve à plus de 75 % la politique algérienne du général de Gaulle.

Le putsch des généraux (22-25 avril). À Alger, le régime gaulliste doit affronter un soulèvement militaire que prolonge le terrorisme de l'Organisation armée secrète (OAS), partisan de « l'Algérie française ».

La répression du 17 octobre. La répression policière sanglante lors d'une manifestation organisée par le FLN à Paris fait plusieurs dizaines de morts et des centaines de blessés.

1962 **Charonne** (8 février). Au cours d'une manifestation contre l'OAS, la police charge et provoque la mort de huit personnes à la station de métro Charonne.

Les accords d'Évian (18 mars). Des négociations avec le FLN finissent par déboucher sur les accords d'Évian, ratifiés à 90,7 % par référendum le 8 avril. L'Algérie obtient l'indépendance tandis qu'un million de pieds-noirs refluent en France.

LA CONSTITUTION DE LA Vᴱ RÉPUBLIQUE

◼ La rédaction de la nouvelle constitution

Le texte est rédigé non plus comme dans les régimes précédents par les députés, mais par une commission de juristes et de hauts fonctionnaires, présidée par le garde des Sceaux, Michel Debré. La volonté est de créer des institutions en réaction à celles de la IVᵉ République.

◼ L'adoption de la Constitution

La constitution est adoptée par référendum le 28 septembre 1958, avec plus de 79 % des suffrages. Le 21 décembre, le général de Gaulle est élu président de la République par un collège électoral de 80 000 personnes.

◼ Un régime semi-présidentiel

Le régime parlementaire est maintenu car le gouvernement reste responsable devant le Parlement, mais le pouvoir exécutif devient prééminent. Le Président de la République, chef de l'État, commande les armées, dispose du droit de grâce, nomme le Premier ministre et préside le Conseil des ministres. Il peut en outre dissoudre l'assemblée, consulter les Français par référendum, prendre les pleins pouvoirs en cas d'atteinte à la sûreté de l'État (article 16). L'ordre du jour de l'Assemblée est fixé par le gouvernement ; l'article 49-3 permet aussi à ce dernier de faire voter rapidement une loi. Les députés voient également leur rôle limité par le Conseil constitutionnel qui juge de la constitutionnalité des lois.

> La Vᵉ République est un régime semi-présidentiel. On retrouve en effet des caractéristiques de régime présidentiel mais aussi parlementaire. Cependant, malgré l'alternance droite-gauche et les révisions constitutionnelles qui vont suivre, la fonction présidentielle reste prépondérante.

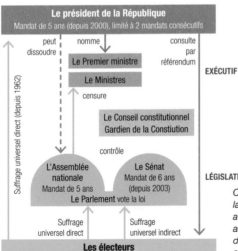

Le 4 septembre 1958, sur la place de la République à Paris, le général de Gaulle présente aux Français le projet constitutionnel instituant la Vᵉ République.

Conçue par et pour le général de Gaulle, la Constitution a évolué au fil du temps. De Gaulle a accentué le caractère présidentiel par l'élection au suffrage universel du président de la République (1962), mais des révisions constitutionnelles ont redonné davantage d'influence à l'Assemblée.

Les institutions de la Vᵉ République

Le président de la République
Mandat de 5 ans (depuis 2000), limité à 2 mandats consécutifs

peut dissoudre — nomme — consulte par référendum

Le Premier ministre
Le Ministres
censure

EXÉCUTIF

Le Conseil constitutionnel
Gardien de la Constiution

contrôle

Suffrage universel direct (depuis 1962)

L'Assemblée nationale
Mandat de 5 ans

Le Sénat
Mandat de 6 ans (depuis 2003)

Le Parlement vote la loi

LÉGISLATIF

Suffrage universel direct

Suffrage universel indirect

Les électeurs
Hommes et femmes de plus de 18 ans (depuis 1974)

La fin de l'Empire colonial français

La IVᵉ République a mal pris en compte les mouvements d'émancipation de son Empire colonial. C'est la Vᵉ République qui achève l'essentiel de la décolonisation.

1944 **La Conférence de Brazzaville.** De Gaulle promet l'autonomie aux colonies.

1945 **Les émeutes de Sétif** (8 mai). En Algérie, une émeute nationaliste fait plus de 100 morts européens. La répression est impitoyable, au moins 6 000 morts.
La proclamation de Ho Chi Minh (2 septembre). Le leader communiste vietnamien proclame l'indépendance de la République démocratique du Vietnam.

1946 **La fondation de l'Union française** (27 octobre). Elle est formée de la République française et des territoires associés d'outre-mer.
Le Bombardement d'Haiphong (23 novembre). Il marque le début de la guerre d'Indochine, conflit qui va s'inscrire aussi dans la guerre froide.
La France se retire du Liban et de la Syrie (17 avril). Ces pays étaient mandats français depuis 1920 (la France abandonnera aussi ses comptoirs de l'Inde en 1956).

1947 **Les émeutes de Madagascar.** La répression entraîne plus de 30 000 victimes.

1954 **La reddition de Dien Bien Phu** (8 mai). Les forces françaises capitulent devant les forces du général Giap soutenues par la Chine.
Les accords de Genève (20 juillet). Ils donnent l'indépendance aux colonies indochinoises. Le Vietnam est séparé par le 17ᵉ parallèle entre la République démocratique du Vietnam au nord et la République nationaliste pro-américaine. Le Cambodge et le Laos deviennent indépendants.
La Toussaint rouge (1ᵉʳ novembre). Une série d'attentats perpétrés par le FLN (Front de libération nationale) marque le début de la guerre d'Algérie.

1956 **Les indépendances du Maroc** (2 mars) **et de la Tunisie** (20 mars). Elles marquent l'échec de la politique de force, en particulier au Maroc.
La loi cadre Deferre (23 juin). Elle accorde une autonomie aux territoires africains.

1957 **La bataille d'Alger.** Le général Massu est chargé du maintien de l'ordre dans la zone d'Alger. La bataille est gagnée mais au prix du recours à la torture.

1958 **Le raid contre Sakhiet** (février). L'aviation française bombarde le village tunisien de Sakhiet Sidi Youssef, base arrière du FLN.
Le soulèvement des Français d'Algérie (13 mai). Il déclenche le retour du général de Gaulle au pouvoir.
La Communauté française (4 octobre). Elle succède à l'Union française et prépare la voie à l'indépendance. Tous les pays y adhèrent sauf la Guinée de Sekou Touré.

1960 **Les indépendances de l'Afrique noire et de Madagascar.** Ces indépendances se font progressivement. La France maintient des liens de coopération.

1961 **Les accords d'Évian** (18 mars). Ils mettent fin à la guerre d'Algérie.
Le putsch des généraux (21 avril). Des officiers de l'armée française en Algérie tentent un coup d'État contre l'abandon de l'Algérie française.

LES ACCORDS D'ÉVIAN

Près d'un million de pieds-noirs partent vers la métropole, dans des conditions matérielles et morales souvent difficiles.

Des négociations longues et difficiles

Le 18 mars 1962, de Gaulle annonce au pays la conclusion des accords d'Évian. De son côté, Y. Ben Khedda, leader de l'aile gauche du FLN (Front de libération nationale) et président du GPRA (Gouvernement provisoire de la République algérienne), annonce, sur les antennes des radios de Tunis, Rabat, Tanger, Tripoli et Le Caire, que le cessez-le-feu prendra effet le 19 mars à midi. Ces accords – en grande partie vidés de leur contenu par la suite – constituent une étape décisive vers l'indépendance.

Commencés à Évian le 20 mai 1961, les pourparlers avec le GPRA n'aboutissent qu'après trois interruptions, la négociation finale s'engageant le 7 mars 1962 pendant que le terrorisme du FLN et celui de l'OAS (Organisation armée secrète) font rage à Alger.

La teneur des accords

Ces accords reposent sur un double postulat : le maintien d'une forte minorité française en Algérie et l'établissement à Alger d'un pouvoir libéral garant des droits et des biens de cette minorité. À l'issue du scrutin d'autodétermination, si les citoyens d'Algérie choisissent l'association avec la France, l'Algérie indépendante et souveraine respectera les particularismes et garantira la sécurité des personnes et des biens. Les forces françaises resteront en place trois ans encore. Les intérêts de la France au Sahara sont maintenus pour cinq ans.

La tactique de la « terre brûlée »

La métropole approuve la signature du cessez-le-feu. Celui-ci est accueilli avec soulagement par les Algériens. Mais l'OAS veut rendre inapplicables les accords. Les attentats, le climat de haine entre les musulmans et les pieds-noirs entraînent un exode massif vers la métropole des pieds-noirs. 400 000 harkis (Algériens qui ont combattu avec l'armée française et qui sont victimes de représailles) arrivent aussi en France. L'OAS adopte la tactique de la « terre brûlée », détruisant derrière elle les usines, les mairies, les écoles, les hôpitaux. L'Algérie, le 1er juillet, vote massivement son indépendance, proclamée le 5, dans la coopération avec la France.

Les accords d'Évian, dans le contexte de 1962, reposaient sur l'idée d'une coexistence pacifique et harmonieuse de deux communautés dans le cadre d'une Algérie indépendante. L'extrémisme de l'OAS rendit caduc le maintien d'une forte minorité française en Algérie. La radicalisation rapide de la jeune République algérienne et les confiscations qu'elle multiplia rendirent impossible la garantie des biens et des intérêts de cette minorité.

La République gaullienne

La « question algérienne » réglée, le général de Gaulle renforce le pouvoir présidentiel. Puis il se consacre à sa « grande politique étrangère ». Guidé par « une certaine idée de la France », de Gaulle voit en la prospérité économique un moyen d'assurer la grandeur du pays. Mais il néglige les mécontentements qui se manifestent. Aussi est-il mis en ballottage lors de la première élection présidentielle au suffrage universel direct.

1962

Pompidou, Premier ministre. Après la fin de la guerre en Algérie, Georges Pompidou remplace Michel Debré comme Premier ministre, le 14 avril.

L'attentat du Petit-Clamart. Le 22 août, de Gaulle échappe à un attentat de l'OAS au Petit-Clamart en banlieue parisienne.

L'élection du président de la République au suffrage universel. De Gaulle fait cette proposition en septembre. Le 28 octobre, à l'exception de l'Union pour la nouvelle République (UNR) et de modérés autour de Valéry Giscard d'Estaing, toutes les forces politiques refusent et votent une motion de censure. De Gaulle dissout alors l'Assemblée et le pays approuve, par référendum, la réforme constitutionnelle.

Le triomphe gaulliste. En novembre, les législatives donnent à l'UNR (233 députés) et ses alliés (Indépendants et Paysans) la majorité absolue.

1963

Le rejet de l'entrée de la Grande-Bretagne dans la CEE (14 janvier). Par souci d'indépendance militaire et diplomatique, de Gaulle s'oppose à l'entrée dans la CEE du Royaume-Uni, trop lié aux États-Unis. Il refuse une Europe supranationale ou dominée par les États-Unis.

Le traité d'amitié franco-allemand (22 janvier). Il s'appuie sur les très bonnes relations de de Gaulle et du chancelier de la RFA Konrad Adenauer.

La bombe A. Ayant doté la France d'une « force de dissuasion » (1960), de Gaulle refuse la participation à une force atomique multilatérale (5 août).

Le plan de stabilisation (12 septembre). Le IVe Plan (1962-1965) prévoit un taux moyen annuel de croissance de 5,5 %, mais l'inflation est repartie. Pour briser celle-ci, Valéry Giscard d'Estaing, ministre des Finances, met en œuvre un plan de stabilisation, qui limite les crédits, bloque les prix et renforce de fait les pressions sur les salaires.

1964

Le rayonnement de la France à l'étranger. Luttant contre la « double hégémonie » (des États-Unis et de l'URSS), de Gaulle reconnaît officiellement la Chine populaire (27 janvier). Ses voyages dans le monde et ses discours donnent un tour original aux relations internationales de la France.

La CFDT. Pour mieux contrer l'influence de la CGT, la majorité de la CFTC abandonne toute référence chrétienne et devient la CFDT (Confédération française démocratique du travail). Les syndicats, en l'absence de débat politique, sont la principale force d'opposition.

1965

De Gaulle en ballotage (5 décembre). Le général se représente à la présidentielle mais, trop sûr de sa dimension historique, ne fait pas vraiment campagne. Au premier tour, il est mis en ballottage ; candidat unique de la gauche, François Mitterrand rassemble 32,3 % des suffrages exprimés.

LE DÉFI GAULLIEN

◼ La construction d'une Europe politique

L'idée d'une Europe politique, dominée par la France, fait rechercher au général de Gaulle la coopération avec l'Allemagne occidentale. Dès son arrivée au pouvoir, des accords bilatéraux sont signés. Le couple franco-allemand devient la pièce maîtresse de la construction européenne. Entre le chancelier Konrad Adenauer et le général s'est nouée une amitié personnelle, une entente qui s'est renforcée au fil des mois et qui a abouti, en septembre 1962, à un voyage triomphal de Charles de Gaulle en RFA. Le 22 janvier 1963, un traité signé à l'Élysée a matérialisé cette entente et inauguré des consultations périodiques entre les deux gouvernements.

◼ Le refus de la bipolarisation du monde

Défi à Washington et à Moscou, la reconnaissance de la Chine communiste s'inscrit dans la politique gaullienne de refus des hégémonies et du partage du monde en deux blocs. Le 27 janvier 1964, la France reconnaît la Chine de Mao Zedong. Après des contacts préparatoires, assurés notamment en octobre 1963 par l'ancien président du Conseil, Edgar Faure, la République populaire de Chine et la France font connaître leur intention d'établir entre elles des relations diplomatiques. À cette date, Pékin a rompu avec Moscou. Malgré nombre de contacts et de gestes – dont les entretiens d'André Malraux, ministre d'État chargé des Affaires culturelles avec Mao à Pékin en juillet-août 1965 –, le point d'appui chinois ne donne guère de résultat.

De Gaulle s'efforce en fait de pratiquer une politique d'équilibre entre les deux blocs. Il multiplie les contacts avec les pays de l'Est (voyage à Moscou en 1966), critique les États-Unis au Viêtnam et se dégage de l'OTAN (1966), mais les soutient dans la crise de Cuba.

◼ La force de dissuasion

Pour assurer l'indépendance nationale qui lui est chère, de Gaulle fait du programme nucléaire (impulsé par Mendès France en 1954) une priorité. La première bombe atomique française éclate au Sahara en février 1960, suivie par la bombe à hydrogène expérimentée en Polynésie française. Le premier sous-marin atomique français, Le Redoutable, est lancé en 1967.

Lancement du sous-marin Le Redoutable *le 29 mars 1967, à Cherbourg*

Certain que la France a hérité d'un rôle historique de « grande puissance » et d'une mission mondiale, le général de Gaulle a conçu une force de dissuasion et cherché des appuis indispensables à une politique indépendante de son puissant allié : les États-Unis. La reconnaissance de la République populaire de Chine est un des exemples de cette politique.

La fin de la France gaullienne

Réélu président de la République, de Gaulle poursuit la politique d'indépendance et de « grandeur de la France » tandis que, dans le pays, l'expansion profite inégalement aux catégories sociales. Crise d'adaptation à la société de consommation, et crise politique, l'explosion de mai 1968 surprend le régime gaulliste. De Gaulle rétablit la situation. Mais, en 1969, il démissionne après un référendum négatif sur une réforme du Sénat.

1965 **La réélection de de Gaulle** (19 décembre). De Gaulle est réélu au second tour face à François Mitterrand, représentant unique de la gauche, qui a bénéficié des désistements des autres candidats. Le ralentissement de la croissance, les difficultés sociales et la possibilité enfin donnée aux opposants de s'exprimer à l'ORTF expliquent la baisse de popularité du général.

1966 **Le retrait de l'OTAN** (9 mars). Combattant l'hégémonie des États-Unis, de Gaulle annonce le retrait de la France du dispositif militaire intégré de l'Otan. Déjà en juin 1963, le général avait désengagé la flotte française.

Le discours de Phnom Penh. En août, lors d'un voyage au Cambodge, de Gaulle salue la neutralité de ce pays et critique vigoureusement l'intervention américaine au Viêtnam.

1967 **Le recul gaulliste** (5-12 mars). Les élections législatives ne sont gagnées que de justesse par la majorité. Les 44 Républicains indépendants de Valéry Giscard d'Estaing constituent désormais un apport indispensable aux 200 élus gaullistes de l'UD-V^e (Union démocratique pour la Ve République).

L'Europe agricole (1er juillet). Entrée en vigueur du Marché commun agricole. De Gaulle accélère la réalisation de la Politique agricole commune (PAC), avantageuse pour la France.

Le malaise social. La situation économique et sociale dégradée provoque une poussée du chômage (400 000 chômeurs en 1967) et des grèves. Les étudiants, dont le nombre a considérablement augmenté avec le baby-boom, critiquent l'université et réclament plus de libertés et de justice sociale.

1968 **L'explosion de mai.** L'agitation universitaire et gauchiste gagne le monde du travail : le pays entier est bientôt paralysé par 10 millions de grévistes. La crise devient politique. Prêt à quitter le pouvoir, de Gaulle se reprend et, par son discours radiodiffusé du 30 mai, rétablit la situation.

Le raz-de-marée gaulliste (23-30 juin). Les « élections de la peur » constituent un triomphe pour les gaullistes de l'UDR (Union pour la défense de la République) : 358 élus sur 485 députés !

La réforme des universités. Les enseignements supérieur et secondaire sont réformés. Les universités deviennent autonomes et interdisciplinaires.

1969 **La démission de de Gaulle** (28 avril). Cherchant à retrouver un soutien populaire direct, le général propose aux Français un référendum sur la régionalisation et une réforme du Sénat. Il fait de l'adoption de son projet la condition de son maintien au pouvoir. Le 27 avril, le « non » l'emporte nettement. De Gaulle choisit de démissionner.

MAI 1968

*Affiche
de mai 1968*

*Une
du* Figaro
*du 31 mai
1968*

La crise étudiante

« Dans une France qui s'ennuie », les étudiants dénoncent l'université, inadaptée à l'enseignement de masse et la société de consommation. Née à Nanterre le 22 mars, l'agitation étudiante gagne le Quartier latin, après la fermeture de la Sorbonne, le 3 mai 1968. L'intervention de la police met le feu aux poudres. Le mouvement tourne à l'émeute. L'opinion publique, devant la répression policière, prend parti pour les étudiants. Après la « nuit des barricades », les syndicats appellent à une grève de protestation. Le 13 mai, un défilé impressionnant rassemble étudiants et ouvriers.

La crise sociale

Nées spontanément, grèves et occupations d'usines gagnent tous les secteurs. Aux revendications habituelles sur les salaires s'ajoutent des revendications qualitatives (responsabilité des travailleurs dans l'entreprise...). Les grèves paralysent les trois quarts de l'activité nationale : près de 10 millions de grévistes le 24 mai. Dans les lycées, les facultés, sur les lieux de travail, les projets, réalistes ou utopiques, de réforme de la société de consommation s'épanouissent. Du 25 au 27 mai, le Premier ministre Georges Pompidou négocie les accords de Grenelle avec les syndicats, qui tentent de reprendre le contrôle du mouvement. Une partie de la base rejette ces accords, qui ne portent que sur les aspects matériels de la condition ouvrière (augmentation de 35 % du SMIG, réductions d'horaires...).

La crise politique

Le pouvoir semble vacant. Le 28 mai, François Mitterrand annonce sa candidature si de Gaulle démissionne. Prêt à quitter le pouvoir, celui-ci se ressaisit après avoir rencontré le général Massu en Allemagne et consulté l'armée. Le 30, de Gaulle s'adresse au pays à la radio et dissout l'Assemblée nationale. Le soir même, 700 000 gaullistes remontent les Champs-Élysées. Le travail reprend peu à peu. Aux élections des 23 et 30 juin, le parti gaulliste emporte la majorité absolue.

> Moment de démocratie directe ou révolution avortée ? Il y a eu beaucoup de paroles mais le pouvoir n'a pas été pris. Crise de croissance ? Certes, la société de consommation est dénoncée mais elle séduit encore beaucoup d'exclus. En fait, mai 1968 accélère l'évolution des mentalités ; ainsi sur le rôle des femmes (MLF), l'environnement (écologie), le travail (autogestion).

Georges Pompidou et la « nouvelle société »

Georges Pompidou l'emporte aux élections présidentielles de juin 1969. Jusqu'en 1972, le gouvernement Chaban-Delmas essaie de développer une politique contractuelle dite « de la nouvelle société ». La France accepte l'adhésion britannique à la CEE. Alors que la majorité présidentielle s'élargit à certains centristes, l'opposition de gauche s'unit. La maladie abrège le septennat de Georges Pompidou, qui meurt le 2 avril 1974.

1969 **L'élection de Georges Pompidou.** Le 15 juin, Georges Pompidou, ancien Premier ministre de de Gaulle, l'emporte facilement au second tour sur une opposition divisée (le PCF prône l'abstention). Jacques Chaban-Delmas, gaulliste de la première heure, est nommé Premier ministre ; Valéry Giscard d'Estaing reçoit l'Économie et les Finances. La majorité présidentielle s'ouvre aux centristes d'opposition, tel Jacques Duhamel qui reçoit l'Agriculture.

Les gouvernements Chaban-Delmas (21 juin 1969-5 juillet 1972). Jacques Chaban-Delmas inaugure une politique contractuelle dite de « la nouvelle société » : loi sur la formation permanente, négociation entre syndicats et CNPF (Conseil national du patronat français) pour des contrats de progrès, revalorisation périodique du SMIC (salaire minimum interprofessionnel de croissance) indexé sur le coût de la vie, mensualisation des salaires pour tous…

1971 **Le congrès d'Épinay** (16 juin). Au congrès d'Épinay, François Mitterrand devient le premier secrétaire du Parti socialiste, qui s'est substitué en 1969 à l'ancienne SFIO.

1972 **L'élargissement de la CEE** (23 avril). Georges Pompidou accepte d'élargir la CEE à l'Irlande, au Danemark et au Royaume-Uni. En cela, il rompt avec un des principes gaullistes. Les Français approuvent par référendum mais on compte 39 % d'abstentions.

Le « programme commun de gouvernement ». Il est signé le 27 juin entre le PS et le PCF, dirigé par Georges Marchais. Le programme prévoit des réformes sociales importantes et des nationalisations. Le MRG (Mouvement des radicaux de gauche) se ralliera à cet accord le 4 octobre.

Le renvoi de Chaban-Delmas (5 juillet). En désaccord avec son Premier ministre, Georges Pompidou le remplace par le gaulliste Pierre Messmer, qui se fait l'artisan d'une vigoureuse – mais controversée – politique d'industrialisation.

La fondation du Front national (23 septembre). Jean-Marie Le Pen fonde le Front national, parti d'extrême droite.

1973 **L'affrontement gauche-droite.** Aux législatives de mars, « la majorité reste la majorité », mais elle s'amenuise. Les élections ont montré la bipolarisation croissante des forces politiques. Le PS apparaît comme le principal bénéficiaire de l'unité de la gauche.

1974 **La mort de Georges Pompidou** (2 avril). La maladie du Président a été tenue secrète mais la rapidité de son issue surprend même ceux qui savaient. Conformément à la Constitution, le président du Sénat, Alain Poher, devient président de la République par intérim. Le choix du candidat de droite à l'élection présidentielle s'avère difficile. Chaban-Delmas ou Giscard d'Estaing ? La droite se présente divisée au premier tour.

LA FIN DES TRENTE GLORIEUSES

De la croissance à la crise

La période des Trente Glorieuses, ainsi appelée par l'économiste Jean Fourastié, s'étend de 1946 aux années 1970 et concerne les pays industrialisés. La France connaît alors une croissance moyenne annuelle du PIB de plus de 5 %. C'est le moment du plein emploi (113 000 chômeurs officiels en 1964). La croissance est favorisée par l'avènement de la consommation de masse, résultat du baby-boom, de la hausse générale du niveau de vie, de l'État providence, du crédit plus facile. L'agriculture se modernise, les industries rationalisent la production (c'est l'époque du fordisme), le secteur tertiaire commence son essor. Mais, à partir du début des années 1970, une crise multiforme provoque l'essoufflement des Trente Glorieuses.

Manifestation pour sauver la sidérurgie

Les facteurs de la crise

La croissance ne cesse pas mais est fortement ralentie (jusqu'à 2 %). Ce ralentissement est dû à un faisceau de causes, dont l'essoufflement de la consommation (les ménages se sont équipés en biens durables), la concurrence du Japon et des nouveaux pays industrialisés à main-d'œuvre bon marché, les désordres monétaires engendrés depuis 1971 par la fin de la convertibilité du dollar en or. La crise a aussi pour origine le premier choc pétrolier : en 1973. L'OPEP (Organisation des pays producteurs de pétrole) multiplie par 4 les prix du baril ; or la croissance reposait largement sur le faible prix du pétrole. Ont compté aussi, dans les origines de la crise, la hausse des coûts salariaux, l'absentéisme et les grèves dues au rejet du travail à la chaîne. Ainsi, les profits des entreprises baissent et les investissements sont moindres.

Les manifestations de la crise

Les faillites se multiplient, la précarisation du travail apparaît, le chômage de masse démarre (450 000 chômeurs en 1974, soit 3 % des actifs). L'inflation repart (elle n'avait jamais disparu). La France connaît la stagflation. La fécondité est ralentie ; c'est la fin du baby-boom. L'immigration, qui avait été un des éléments de la croissance, est freinée. L'État hésite entre des politiques de rigueur (de « refroidissement » en 1974) ou des politiques de relance. Des essais d'autogestion sont tentés comme chez Lip. Des mutations importantes sont en train de s'accomplir : la baisse des emplois industriels et la tertiarisation, l'abandon partiel du dirigisme, mais aussi l'aggravation des disparités sociales.

Plus qu'une crise, c'est en fait le ralentissement de la croissance qui se produit dans les années 1970. Des mutations sectorielles se produisent en parallèle. La société de consommation, symbole mythique et conséquence de la croissance économique des Trente Glorieuses, est remise en cause.

Valéry Giscard d'Estaing, la droite non gaulliste au pouvoir

Sous le septennat de Valéry Giscard d'Estaing sont votées, entre autres, la majorité à 18 ans et la libéralisation de l'avortement. De nouveaux ministères sont créés : Qualité de la vie, Condition féminine... Mais la crise économique mondiale qui touche aussi la France s'aggrave. Austérité ou relance ? Les gouvernements Chirac et Barre hésitent. La poussée du chômage et l'inflation contribuent à la victoire de la gauche en 1981.

1974 **L'élection de Valéry Giscard d'Estaing.** Le 19 mai, Valéry Giscard d'Estaing, représentant la droite libérale et pro-européenne, est élu (50,8 %) grâce au soutien de 43 UDR, dont Jacques Chirac, qui devient Premier ministre. François Mitterrand était le candidat unique de la gauche face à une droite divisée entre Jacques Chaban-Delmas et Valéry Giscard d'Estaing.

La « société libérale avancée » ou le « changement sans le risque » annoncés se manifestent par d'importantes mesures comme l'abaissement à 18 ans de la majorité, la légalisation de l'interruption volontaire de grossesse (loi Veil), la loi rendant le divorce plus facile, la réforme de l'audiovisuel.

Le « plan de refroidissement » (juin). Jacques Chirac lance un « plan de refroidissement » : il tente de juguler l'inflation en freinant l'activité économique par des restrictions de crédit.

1975 **L'abandon du plan** (septembre). La rigueur budgétaire fait place à la lutte prioritaire contre le chômage, mais l'inflation est relancée.

1976 **La démission de Jacques Chirac** (25 août). Il est remplacé par Raymond Barre. Le retour à l'austérité (crédit encadré, dépenses publiques et salaires comprimés) ne brise pas l'inflation ni le chômage, qui s'aggrave.

1977 **La rupture de l'union de la gauche.** Elle se produit le 23 septembre, au moment de la réactualisation du programme commun de gouvernement.

1978 **Le quadripartisme.** Grâce à la désunion de la gauche, la droite conserve la majorité. Le RPR (Rassemblement pour la République), autour de Jacques Chirac, et l'UDF (Union pour la démocratie française), qui fédère centristes et giscardiens, ont su taire leurs divergences pour l'emporter aux législatives de mars. Quatre partis dominent la vie politique : RPR, UDF, PS et PCF.

1979 **Les élections européennes** (10 juin). L'UDF arrive en tête aux premières élections au suffrage universel direct des députés du Parlement européen.

1980 **L'entrevue de Varsovie** (19 mai). Alors que l'Union soviétique vient d'envahir l'Afghanistan, Valéry Giscard d'Estaing rencontre Leonid Brejnev à Varsovie. Cette rencontre est mal perçue par l'opinion. D'autres aspects de la politique extérieure discréditent le chef de l'État : soutien, puis renversement, de Bokassa Ier, empereur de Centrafrique...

1981 **Le premier tour de la présidentielle** (26 avril). Il confirme la bipolarisation de la vie politique : Jacques Chirac (18 %) et Georges Marchais (15,3 %) sont largement distancés par Valéry Giscard d'Estaing (28,3 %) et François Mitterrand (25,9 %).

LA « SOCIÉTÉ LIBÉRALE AVANCÉE »

■ Les réformes politiques

L'âge de la majorité est abaissé de 21 à 18 ans, créant 2,4 millions d'électeurs supplémentaires. Le Conseil constitutionnel peut être saisi par 60 députés ou sénateurs. Le statut de Paris est aligné sur celui des autres villes françaises avec un maire élu.

Simone Veil, née en 1927, déportée à Auschwitz, magistrate, est ministre de la Santé en 1974.

■ Les réformes économiques et sociales

L'ORTF est éclaté et la télévision davantage libéralisée. La loi Haby crée le collège unique. Les chômeurs reçoivent la garantie de ressources (90 %) pendant un an et les licenciements sontt rendus plus difficiles. La Sécurité sociale est généralisée. Des droits sont reconnus aux handicapés ; une politique de contrôle des flux migratoires est mise en place ; cependant, si l'immigration des travailleurs reste suspendue jusqu'en 1977, celle des familles est autorisée dès 1975.

Dans les premières années du septennat, des réformes profondes ont été prises, destinées à promouvoir le « changement » et à suivre l'évolution des mœurs de la société. Mais des obstacles politiques et le contexte économique ont mis fin à l'élan réformateur.

■ Des avancées pour les femmes

Quatre femmes sont nommées au gouvernement, dont Simone Veil à la Santé et la journaliste Françoise Giroud au secrétariat d'État à la condition féminine. Des lois moins inégalitaires sont votées : le code civil reconnaît que le domicile conjugal est choisi d'un « commun accord » ; en juillet 1975, le divorce par consentement mutuel est institué. En 1980, le viol est considéré comme un crime. Les femmes acquièrent aussi la maîtrise de la fécondité. La loi Veil permet de subir une interruption volontaire de grossesse (IVG) en milieu hospitalier « pour les femmes en situation de détresse ». Déjà en 1967, la loi Neuwirth autorisait la contraception, la pilule.

Affiche du Mouvement français pour le planning familial, en octobre 1979

Le premier septennat de François Mitterrand

Le 10 mai 1981, le socialiste François Mitterrand est élu président de la Ve République. L'alternance commence. Après le vote de mesures sociales et libérales et la décentralisation, les gouvernements oscillent entre relance et rigueur. L'inflation se ralentit mais le chômage reste invaincu. La droite remporte les législatives de 1986. La première cohabitation est mise en œuvre ; elle conduit à la présidentielle d'avril-mai 1988.

1981 L'« état de grâce ». Le 10 mai, François Mitterrand est élu avec 51,76 % des voix. Le 21 juin, les législatives donnent la majorité aux socialistes. Des communistes entrent au gouvernement. Pierre Mauroy, Premier ministre, veut réaliser le programme de la gauche, « changer la vie » : suppression des juridictions d'exception, autorisation des radios privées locales, abolition de la peine de mort (loi préparée par Robert Badinter, ministre de la Justice)…

1982 **La relance par la consommation** (janvier-février). Relèvement du SMIC, 39 heures de travail hebdomadaire, cinquième semaine de congés payés, retraite à 60 ans ; droits des travailleurs dans l'entreprise (lois Auroux). Des nationalisations sont réalisées.

La décentralisation (27 mars). Préparée par Gaston Defferre, la loi transfère certaines compétences et ressources aux collectivités locales.

Le choix de la rigueur. Après deux dévaluations, Jacques Delors, ministre des Finances, propose une politique dirigiste et protectionniste (juin).

La fête de la musique (21 juin). Elle est créée par Jack Lang, ministre de la Culture.

1983 **La politique de rigueur et d'effort** (22 mars). L'expérience socialiste d'inspiration keynésienne est un échec aggravé par le deuxième choc pétrolier en 1979. Le cap des 2 millions de chômeurs est franchi. Le plan de rigueur est renforcé ; c'est la fin de « l'état de grâce ». Les relations entre socialistes et communistes se détériorent ; les municipales montrent une percée du Front national.

1984 **Le projet Savary.** Le 24 juin, un million de manifestants défilent en faveur de l'école privée, qu'ils estiment menacée. Le projet est retiré.

Le ministère Fabius. Premier ministre depuis juillet, Laurent Fabius poursuit la rigueur. Le PCF met fin à sa participation gouvernementale.

L'amitié franco-allemande. Elle est célébrée à Verdun, le 11 novembre, par le chancelier allemand Helmut Kohl et François Mitterrand.

1985 **La réforme du mode de scrutin.** Le 10 juillet, une loi instaure la proportionnelle départementale à un tour pour les législatives de 1986.

1986 **La cohabitation** (16 mars). La droite classique RPR-UDF l'emporte. François Mitterrand nomme Jacques Chirac Premier ministre : c'est la cohabitation. Jacques Chirac reprivatise, supprime l'autorisation administrative de licenciement, abolit l'impôt sur les grandes fortunes.

1988 **La réélection de François Mitterrand.** Le 8 mai, François Mitterrand est largement réélu (54,01 %) contre Jacques Chirac, Premier ministre sortant.

L'ÉLECTION DE FRANÇOIS MITTERRAND

François Mitterrand, la rose au poing : emblème du Parti socialiste depuis 1971

▪️ « Mitterrand Président »

Le 10 mai 1981, à 20 heures, radio et télévision apprennent aux Français l'élection de François Mitterrand, premier président socialiste de la Vᵉ République. Après vingt-trois ans de régime gaulliste ou giscardien, la France entre dans l'ère du « changement ». À la Bastille, plus de 200 000 personnes se retrouvent pour célébrer la victoire de la gauche ; même joie débordante dans la plupart des grandes villes de province.

▪️ « Sortez les sortants ! »

Élu avec 51,76 % des suffrages exprimés, Mitterrand a su rassembler sur son nom les espoirs de toute la gauche et, même au-delà. Il est possible que le large recul enregistré au premier tour par Georges Marchais, candidat communiste, ait libéré une fraction de l'électorat de ses dernières craintes de voir le PCF accéder au pouvoir. Le succès de François Mitterrand doit aussi beaucoup à l'incapacité du gouvernement Barre à maîtriser l'inflation, à la montée continue du chômage, à la rivalité entre Giscard d'Estaing et son ancien Premier ministre Chirac. Plus, peut-être, que l'acceptation du programme du vainqueur, l'élection manifeste le rejet du Président sortant.

▪️ Le troisième tour des présidentielles

Après dix jours d'interrègne, Mitterrand succède à Giscard d'Estaing le 21 mai. Ce jour-là, il remonte les Champs-Élysées sous les acclamations d'une nombreuse foule, puis va s'incliner au Panthéon devant les tombes de Jean Jaurès, Jean Moulin et Victor Schœlcher. Le 22, le premier gouvernement Mauroy est constitué, l'Assemblée nationale est dissoute. Aux élections législatives des 14 et 21 juin – véritable troisième tour –, la France confirme son choix : avec 283 députés, le PS et les radicaux de gauche ont, à eux seuls, la majorité absolue. C'est la « vague rose » et, pour un temps, l'« état de grâce ». Les deux étapes du changement sont franchies.

Dans un pays gouverné par la même majorité depuis 1958, le changement du 10 mai 1981 est vivement ressenti : avec amertume par la droite, avec enthousiasme par la gauche. L'alternance sans heurt est une confirmation de la solidité des institutions de la Vᵉ République.

Le second septennat de François Mitterrand

Le second septennat de François Mitterrand est marqué par la situation économique et sociale que les gouvernements successifs ne parviennent pas à redresser. En revanche, la construction européenne est consolidée par le traité de Maastricht. La gauche est sévèrement défaite aux législatives de 1993. Le septennat s'achève par une deuxième cohabitation, avec pour Premier ministre le RPR Édouard Balladur.

1988 **Rocard Premier ministre.** Les législatives de juin ne donnent qu'une majorité relative aux socialistes. Le Premier ministre Michel Rocard instaure le revenu minimum d'insertion (RMI) et la contribution sociale généralisée (CSG).

1989 **Le bicentenaire de la Révolution** (juillet). À Paris, sur les Champs-Élysées, un défilé-spectacle, retransmis dans 200 pays, attire un million de spectateurs.
« L'affaire du foulard islamique » (octobre). Trois élèves musulmanes sont exclues des cours pour avoir refusé d'ôter leur foulard dans un collège.

1990 **L'opération Daguet** (9 août). Pour condamner l'invasion irakienne au Koweït, François Mitterrand envoie un porte-avions dans le golfe Persique. La guerre du Golfe (1990-1991) recrée le consensus autour du Président.

1991 **Une femme à Matignon.** Le 15 mai, François Mitterrand nomme Édith Cresson Premier ministre.

1992 **Le ministère Bérégovoy.** Le 2 avril, Édith Cresson, devenue très impopulaire, est remplacée par Pierre Bérégovoy. Ce dernier ne peut endiguer la montée du chômage : le seuil des 3 millions de chômeurs est dépassé.
Le traité de Maastricht (20 septembre). Le traité est ratifié de justesse.

1993 **La deuxième cohabitation.** Le PS subit une déroute aux législatives. Le RPR Édouard Balladur devient Premier ministre. Il renoue avec une politique libérale : reprise des privatisations, réforme du régime des retraites du secteur privé, lois Pasqua sur la maîtrise de l'immigration. François Mitterrand se replie sur les « domaines réservés » et se fait le gardien vigilant des « acquis sociaux ».
L'Union européenne. Le 1er janvier, le Marché unique de l'Europe des Douze fonctionne officiellement. Le 1er novembre, l'entrée en vigueur du traité de Maastricht transforme la Communauté économique européenne (CEE) en Union européenne (UE).

1994 **Des projets non aboutis.** Divers projets de lois sont invalidés ou rejetés par la mobilisation de la rue : ainsi, en mars, le contrat d'insertion professionnelle (CIP), qui permet d'embaucher des jeunes en dessous du SMIC, est retiré.
Le tunnel sous la Manche. Le tunnel est inauguré le 6 mai.

1995 **Le premier tour des présidentielles** (23 avril). Il oppose, à droite, deux candidats du même parti : le RPR Édouard Balladur à son « ami de trente ans » Jacques Chirac. À gauche, Lionel Jospin (23,30 %) brigue la succession de François Mitterrand, non sans se réserver un « droit d'inventaire ».

LE BICENTENAIRE DE LA RÉVOLUTION

◼ Une année de commémorations

La célébration du bicentenaire est préparée dès 1986 par une commission aidée du ministère de la Culture. Toute l'année 1989 est l'occasion d'événements de prestige ; les « grands travaux présidentiels », l'Opéra-Bastille, la Pyramide du Louvre, la Grande Arche de la Défense sont inaugurés cette même année. Le 16 juillet se déroule la commémoration de la victoire de Valmy (« autour d'une nation »).

◼ Le succès planétaire du 14 juillet

30 000 bals populaires ont eu lieu la veille dans toute la France. Le 14 juillet est marqué par un défilé militaire sur les Champs-Élysées auquel assistent 800 000 personnes, dont 33 chefs d'État et de gouvernement (une réunion du G7 aura lieu du 14 au 16 juillet). Vient ensuite une gigantesque parade orchestrée par Jean-Paul Goude, intitulée « La Marseillaise ». On compte 1 millions de spectateurs présents et 800 000 téléspectateurs à travers le monde. On peut voir dans le défilé les provinces françaises, les « tribus planétaires » avec chacune leur signe anecdotique, une locomotive… !

◼ Un événement entre louanges et polémiques

La commémoration est reconnue grandiose et placée sous le signe de la fraternité et de l'universalité. Elle déclenche pourtant des critiques : le Premier ministre britannique, Margaret Thatcher, revendique l'antériorité des droits de l'homme et de la révolution anglaise. La mise en scène est jugée trop cosmopolite. Les aspects vraiment « révolutionnaires » de la Révolution comme la Terreur, effacés. L'événement donne lieu à un débat historiographique où François Furet traite la commémoration de « vulgate lénino-jacobine ». La controverse s'inscrit aussi dans le contexte de 1989 : événements de la place Tien-an-Men en Chine (juin) et chute du mur de Berlin (novembre).

Défilé du 14 juillet 1989 à Paris

Les bouleversements de l'art contemporain

L'expression (remise en cause par certains artistes eux-mêmes) désigne les œuvres d'arts plastiques produites après 1945 voire à partir de 1960. Cet art se veut transgressif et n'hésite pas à provoquer ; tous les supports sont utilisés. C'est aussi un art plus mondialisé, sensible au phénomène de spéculation.

1974 **La première FIAC** (Foire internationale d'art contemporain). Elle réunit à Paris, dans un but commercial, les galeristes, les collectionneurs, les directeurs de musées…

1977 **L'ouverture du Centre Georges Pompidou.** Pour Georges Pompidou, l'art est « l'expression d'une époque » et il traduit dans le domaine des arts et de la culture, la modernisation de la France. Le centre est destiné à la création moderne et contemporaine polyculturelle. Il comprend aussi le Musée national d'Art moderne et de création industrielle (MNAM/CCI). Une antenne décentralisée existe à Metz depuis 2010.

1982 **La création des FRAC.** Ces Fonds régionaux d'art contemporain sont créés par Jacques Lang, ministre de la culture ; ce sont des collections publiques d'art contemporain.

2014 **L'inauguration de la Fondation d'entreprise Vuitton.** Créée par le groupe LVMH, elle a pour objectif de promouvoir l'art et la culture.

2016 **La Bourse de commerce de Paris, centre d'art.** La Ville de Paris cède pour 50 ans la Bourse de commerce à la fondation François Pinault pour y exposer des collections d'art.

Georges Pompidou a voulu édifier au cœur de Paris un centre d'art et de culture destiné à la création contemporaine avec un musée et une bibliothèque. L'objectif était aussi de montrer que Paris, face aux États-Unis, gardait une place majeure dans la création contemporaine.

Le bâtiment est l'œuvre de l'anglais Richard Rodgers et de l'italien Renzo Piano. Ses tuyauteries colorées qui furent l'objet de nombreuses critiques évoquent la quête perpétuelle de la civilisation moderne. Il est inauguré en 1977.

L'ART CONTEMPORAIN DANS LA VILLE

■ L'art, « outil visuel »

Les artistes contemporains comme Pei (dans la cour du Louvre) ou Buren (au Palais-Royal) conçoivent leurs créations urbaines *in situ*, avec l'objectif d'une lecture optimisée de l'espace où l'œuvre est placée.

« Les deux plateaux », œuvre de Daniel Buren, sont installés dans une des cours du Palais-Royal à Paris. Sorte d'« outil visuel » conçu pour se marier à l'environnement, ces colonnes ont donné lieu à une vaste polémique nationale.

■ La recherche de l'émotion

L'art contemporain ne cherche pas forcément la rupture ; il s'agit, avec les technologies actuelles, de servir à l'extérieur une architecture ou un espace déjà donnés. La création tient plus à la continuité avec l'environnement, à l'expression d'une émotion en phase avec le cadre.

■ Le *street art* ou art urbain

C'est un art d'abord clandestin et illégal sur les murs des villes qui s'épanouit dans les années 1960. La bande dessinée, l'affiche, font partie des sources d'inspiration. Même si les « outils » du « graffeur » ont évolué, la bombe 400 ml reste le symbole de cette peinture sous pression, majoritairement utilisée. Cet art est maintenant reconnu ; les « graffeurs » peuvent être honorés de commande y compris officielles et leurs œuvres, pour certains, ont une valeur marchande. Mais l'art urbain reste avant tout un art éphémère et de contestation.

En 1983, Jérôme Mesnager invente « l'homme blanc », symbole de lumière, de force et de paix. Il le reproduit dans le monde entier, jusqu'à la Muraille de Chine.

Entre 1987 et 1994, le maître de l'« outre-noir », Pierre Soulages, réalise 106 vitraux en verre non coloré translucide, pour l'abbatiale romane de Sainte-Foy-de-Conques (Aveyron). L'artiste a voulu « servir cette architecture » et « ses pouvoirs d'émotion artistique ».

Le septennat de Jacques Chirac

Le 7 mai 1995, Jacques Chirac est élu président de la République sur le thème de la lutte contre la « fracture sociale ». En avril 1997, des législatives anticipées conduisent à une cohabitation avec le socialiste Lionel Jospin, représentant de la « gauche plurielle » Des réformes sociales sont engagées mais la gauche se divise. Jacques Chirac est réélu le 5 mai 2002 grâce à un Front républicain contre le candidat d'extrême droite.

1995 **L'élection de Jacques Chirac.** Le RPR Jacques Chirac est élu président le 7 mai (52,6 %), face à Lionel Jospin, candidat du PS.

La reprise des essais nucléaires. Cette reprise, le 13 juin, dans le Pacifique (essais suspendus depuis 1992), déclenche la réprobation à l'étranger.

La reconnaissance des crimes de Vichy. Lors du 53ᵉ anniversaire de la rafle du Vél' d'Hiv, le 16 juillet, Jacques Chirac reconnaît officiellement la responsabilité de la France dans les crimes commis alors par l'État français.

Le plan Juppé. En décembre, le plan Juppé de réforme de la Sécurité sociale provoque les grandes grèves de décembre qui paralysent le pays.

1996 **La suspension du service militaire obligatoire** (22 février). La conscription est remplacée par une journée d'appel à la défense.

1997 **La troisième cohabitation** (21 avril). Pour donner un « nouvel élan » au gouvernement Juppé, Jacques Chirac dissout l'Assemblée. Les législatives donnent la majorité à la « gauche plurielle », réunie autour de Lionel Jospin. En juin, celui-ci forme un gouvernement de coalition (communistes, socialistes, Verts, Mouvement des citoyens).

Les 35 heures (13 juin). Loi Aubry sur les 35 heures (mise en place en 2000).

La France « black-blanc-beur » (12 juillet). Plus d'un million de personnes sur les Champs-Élysées célèbrent la victoire de l'équipe de France de football dans la Coupe du monde.

1999 **L'immunité pénale du chef de l'État** (22 janvier). Le Conseil constitutionnel confirme que, « pendant la durée de ses fonctions », le président de la République ne peut être traduit devant la justice ordinaire pour des actes commis avant la date de son élection.

Les réformes sociales et civiles. Vote de la couverture maladie universelle (CMU), le 27 juillet. Vote du pacte civil de solidarité (PACS), le 12 octobre.

2000 **La parité.** Loi sur la parité hommes/femmes en politique (21 janvier).

La fin de la « gauche plurielle » (août). Elle se divise sur le dossier corse, sur la politique sociale, sur l'arrêt du programme des centrales nucléaires.

Le quinquennat (24 septembre). Par référendum, les Français approuvent la réduction du mandat présidentiel de sept à cinq ans.

2001 Suspension effective de la conscription, le 27 juin.

2002 **Le séisme du 21 avril.** Absente du second tour des présidentielles, après l'élimination de Lionel Jospin, la gauche appelle à voter Chirac. Le Président sortant est réélu avec 82,20 % des voix contre Jean-Marie Le Pen, candidat de l'extrême droite.

L'EXTRÊME DROITE AU SECOND TOUR DE LA PRÉSIDENTIELLE

■ L'élimination de la gauche

Au soir du 21 avril 2002, les résultats du premier tour constituent un séisme dans la vie politique française. Lionel Jospin, candidat du PS, n'obtient que 16,20 % des suffrages. Arrivé troisième derrière Jacques Chirac (19,90 %), il est devancé de 190 600 voix par Jean-Marie Le Pen (16,90 %). Or l'article 7 de la Constitution stipule, à propos du second tour, que « seuls peuvent s'y présenter les deux candidats qui se trouvent avoir recueilli le plus grand nombre de suffrages au premier tour ». Lionel Jospin est éliminé. C'est la seconde fois, avec la présidentielle de 1969, que la gauche est absente du second tour. Mais c'est la première fois que l'extrême droite y accède.

■ Un profond malaise

Deux raisons principales expliquent le mauvais score de Lionel Jospin. Les candidats de la « majorité plurielle » sont nombreux. Et le 21 avril, sur seize candidats, les sept qui représentent la gauche totalisent 7,8 millions de voix (27,50 % des suffrages).

Par ailleurs, le scrutin révèle un taux d'abstention record pour une élection présidentielle (28,40 %). Avec près d'un million de bulletins blancs et nuls, 19,20 % pour l'extrême droite et 10,50 % pour l'extrême gauche, les partis dits « gouvernementaux » sont minoritaires.

En fait, les résultats du scrutin, l'importante abstention et la dispersion des voix expriment un vote protestataire. La défiance des Français est vive envers une classe politique impuissante face au chômage, aux délocalisations et au sentiment d'insécurité croissant.

■ La mobilisation du second tour

Les jeunes, la presse, les intellectuels, les milieux économiques et syndicaux, tous se mobilisent dans un mouvement qui culmine le 1er mai, avec, dans tout le pays, plus d'un million et demi de manifestants anti-Le Pen. Presque toute la gauche appelle à voter Chirac au second tour. Deux semaines après avoir réalisé le plus mauvais score de tous les Présidents sortants (19,90 %), Jacques Chirac devient le Président le mieux élu de la Ve République (82,20 % des suffrages). À la suite, les élections législatives sont remportées par l'UMP (Union pour la majorité présidentielle) qui réunit le RPR, la Démocratie libérale d'Alain Madelin et des centristes de l'UDF.

Le choc du 21 avril révèle certaines fragilités de la démocratie française : émiettement des forces politiques, défiance à leur égard, importante abstention, refuge dans un vote protestataire. Mais les sursauts engendrés démontrent aussi l'attachement de la majorité des Français aux valeurs traditionnelles de la République.

Paris, place de la République, 14 mai 2002. Six heures durant, une foule immense dit « non » à l'extrême droite.

Les cohabitations sous la Vᵉ République

La coexistence institutionnelle entre un chef de l'État et un chef de gouvernement (issu de la majorité parlementaire) politiquement antagonistes pose une situation inédite. L'article 20 stipule : « Le gouvernement détermine et conduit la politique de la Nation ». L'article 21 précise : « Le Premier ministre dirige l'action du gouvernement. Il est responsable de la Défense nationale... ». Trois cohabitations ont illustré différemment cette pratique.

1986 - 1988 **La première cohabitation.** Pour la première fois sous la Vᵉ République, les élections législatives de mars ont permis à la droite de remporter la majorité relative des suffrages, mais aussi la majorité absolue en sièges. Choisir un Premier ministre dans la majorité qui a remporté les législatives n'est pas une obligation pour le chef de l'État, mais en démocratie, c'est une reconnaissance de l'opinion des citoyens et un moyen d'éviter les crises politiques. François Mitterrand choisit Jacques Chirac, chef du RPR, comme Premier ministre.

Le président de la République s'efforce de garder la primauté en politique étrangère tandis que Jacques Chirac, Premier ministre, mène une politique intérieure d'inspiration libérale. Mitterrand s'oppose parfois en refusant par exemple de signer des ordonnances. Les deux hommes sont candidats à l'élection présidentielle de 1988 ; Jacques Chirac est battu, François Mitterrand réélu.

1993 - 1995 **La deuxième cohabitation.** Elle suit la victoire de la droite aux élections législatives de 1993. Le RPR Édouard Balladur devient Premier ministre. Lui et François Mitterrand respectent leurs prérogatives réciproques (conduite de la politique internationale et de la défense pour l'un, conduite de la politique intérieure pour l'autre avec le choix de la rigueur) ; en outre, François Mitterrand n'est pas candidat à sa propre succession pour 1995, il n'y a donc pas d'enjeu personnel.

1997 - 2002 **La troisième cohabitation.** Elle est non préparée car elle survient après une dissolution surprise de l'Assemblée nationale par Jacques Chirac en 1997 ; les législatives sont gagnées par la « gauche plurielle » et le socialiste Lionel Jospin devient Premier ministre. Cette cohabitation est plus tendue. Chacun estime dans son droit d'avoir « le dernier mot ». Jacques Chirac, qui a pourtant qualifié la cohabitation de « constructive » le 14 juillet, montre maintes fois son désaccord lors du Conseil des ministres ou lors de déplacements en province. À l'élection présidentielle de 2002, Lionel Jospin est battu au premier tour, Jacques Chirac, face au candidat du Front national, réélu.

Depuis 2000, la réduction à 5 ans du mandat présidentiel, en faisant coïncider les deux types d'élections, devrait éviter les cohabitations (sauf en cas d'élections intermédiaires) de même que, depuis 2002, la décision d'inverser les calendriers (la présidentielle avant les législatives).

LES GRANDES RÉFORMES CONSTITUTIONNELLES DE LA Vᵉ RÉPUBLIQUE

▪ Les principales révisions et leur procédure

Date et procédure de la révision	Contenu
1962 (référendum)	Élection du président de la République au suffrage universel
1974 (Congrès)	Élargissement du rôle du Conseil constitutionnel
1992 (Congrès)	Ratification du traité européen de Maastricht
1999 (Congrès)	Parité homme/femme dans la représentation politique
2000 (référendum)	Mandat présidentiel ramené de 7 à 5 ans (quinquennat)
2003 (Congrès)	Organisation décentralisée de la République
2005 (Congrès)	Charte de l'environnement
2007 (Congrès)	Inscription de l'abolition de la peine de mort dans la Constitution
2008 (Congrès)	Limitation à deux mandats consécutifs de l'exercice de la fonction de président de la République ; création d'un Défenseur des droits, élargissement des droits du Parlement ; possibilité de saisir le Conseil constitutionnel après la promulgation d'une loi (question prioritaire de constitutionnalité)

▪ La procédure de révision selon l'article 89 de la Constitution

« L'initiative de la révision de la Constitution appartient concurremment au Président de la république sur proposition du Premier ministre et aux membres du Parlement… La forme républicaine du gouvernement ne peut faire l'objet d'une révision ».

Dans le premier cas (le Président), il s'agit d'un projet, dans le second (le Parlement), c'est une proposition. Dans l'un ou l'autre cas, il y a examen et vote dans des termes identiques par l'Assemblée nationale et le sénat. Puis la révision définitive doit être approuvée par référendum s'il s'agit d'une révision constitutionnelle.

Cependant, les révisions initiées par le président de la République peuvent être approuvées par référendum ou par la majorité des 3/5ᵉ des suffrages exprimés du Parlement réuni en Congrès.

La Constitution peut être modifiée par référendum ou par un vote des deux chambres réunies en Congrès à Versailles. Ici, le 21 juillet 2008, il s'agit de la réforme constitutionnelle modifiant les pouvoirs du Président et du Parlement.

▪ Une autre lecture de la Constitution

En 1962, pour introduire dans la Constitution l'élection du chef de l'État au suffrage universel direct, le général de Gaulle s'est appuyé sur l'article 11 de la Constitution, permettant au président de la République de soumettre au référendum tout projet de loi portant sur l'organisation des pouvoirs publics. Cette lecture de la Constitution donna lieu à des polémiques et à une crise gouvernementale, les assemblées parlementaires étant ainsi contournées.

Le quinquennat de Jacques Chirac

Le Premier ministre Jean-Pierre Raffarin met en œuvre la politique de Jacques Chirac, réélu le 5 mai 2002. Mais en 2005, les Français votent « non » au référendum sur la Constitution européenne. Le nouveau Premier ministre Dominique de Villepin et le ministre de l'Intérieur Nicolas Sarkozy engagent des réformes. Mais l'échec du CPE écarte Dominique de Villepin de la présidentielle de 2007 remportée par Nicolas Sarkozy.

2002 **Le ministère Raffarin.** Les législatives de juin donnent une large majorité à l'Union pour la majorité présidentielle (UMP). Le Premier ministre Jean-Pierre Raffarin fait voter des allègements fiscaux sur les entreprises, une réforme des retraites... Nicolas Sarkozy, à l'Intérieur, mène une politique de lutte contre l'insécurité.

2003 **La France s'oppose aux États-Unis** (30 janvier). Jacques Chirac s'oppose à l'intervention des États-Unis contre l'Irak de Saddam Hussein sans l'aval du Conseil de sécurité de l'ONU. Moscou et Berlin soutiennent Paris.

La réforme des retraites (20 août). La réforme aligne le secteur public sur le privé (réformé en 1993 sous Édouard Balladur) en dépit de grèves et de manifestations.

2004 **Le raz-de-marée socialiste** (21-28 mars). Le PS enlève 21 des 22 conseils régionaux. Jacques Chirac engage Jean-Pierre Raffarin à former un troisième gouvernement. Nicolas Sarkozy est ministre de l'Économie.

Les élections européennes (13 juin). Avec près de 29 %, le PS réalise un score historique dans une UE des 15 élargie à 25 depuis le 1er mai.

2005 **Le rejet de la Constitution européenne** (29 mai). Le résultat du référendum (54,80 % de « non ») conduit Jacques Chirac à nommer Dominique de Villepin Premier ministre. Nicolas Sarkozy est ministre de l'Intérieur.

Le CNE. Le 2 août, une ordonnance crée le contrat nouvelle embauche (CNE). Dans les entreprises de moins de 20 salariés, tout licenciement intervenant dans les deux ans n'a pas à être justifié.

Les violences urbaines. À l'automne, des émeutes agitent certaines banlieues.

2006 **L'échec du CPE.** Le 16 janvier, Dominique de Villepin annonce la création du contrat première embauche (CPE). Devant la forte opposition, le projet est retiré.

La commémoration de l'abolition de l'esclavage. Cette commémoration a lieu pour la première fois, le 10 mai, à l'initiative de Jacques Chirac.

Ségolène Royal investie. Le 16 novembre, face à Laurent Fabius et à Dominique Strauss-Kahn, elle devient la candidate du PS à la présidentielle.

2007 **L'élection de Nicolas Sarkozy.** Le 14 janvier, Nicolas Sarkozy est désigné comme candidat à la présidentielle par l'Union pour un mouvement populaire (UMP). Quatre candidats dominent le premier tour (29 avril) mais : le centriste François Bayrou (18,57 %) et Jean-Marie Le Pen (10,44 %) sont distancés par Nicolas Sarkozy (31,18 %) et Ségolène Royal (25,87 %). La candidate du PCF, Marie-George Buffet, ne représente plus que 1,93 % des suffrages exprimés.

Le 6 mai, Nicolas Sarkozy est élu par 53,06 % des voix devant Ségolène Royal.

LE SALON DE L'AGRICULTURE ET LES POLITIQUES

Jacques Chirac au 37ᵉ Salon de l'agriculture le 27 février 2000, lors de l'inauguration. C'est une scène reconnue et recherchée par les politiques.

■ Une tradition ancienne

Le Salon de l'agriculture est l'héritier d'une longue tradition depuis les comices agricoles des XVIIIᵉ et XIXᵉ siècles. Le Second Empire fonde, en 1855, le premier Concours agricole universel et, en 1870, le Concours général agricole de Paris. Après la chute de Napoléon III, le Concours reprend jusqu'en 1914, et devient la « Semaine de l'Agriculture à Paris ». Interrompu par la Grande Guerre, il renaît en 1922, porte de Versailles, et se tient, non sans aléas, jusqu'à la fin des années trente. La « Semaine » reprend en 1950 et devient, en 1964, Salon international de l'agriculture (SIA).

■ Un immense succès populaire

La « plus grande ferme de France » se tient la première semaine de mars. En 2016, le SIA a comptabilisé 611 015 entrées, chiffre en baisse reflétant la crise agricole. Sur plus de 130 000 m², plus de 1 000 exposants animent cette vitrine de l'agriculture, où sont aussi présents la gastronomie, le tourisme vert (agro- et œnotourisme), l'environnement. Animations, défilés des animaux… Il y a des stars, ainsi la mascotte de l'année, figurant sur les affiches du Salon.

■ Une vitrine politique reflet de l'actualité

Dans une France majoritairement rurale jusqu'en 1931, les hommes politiques ont toujours logiquement fréquenté le Salon ; et ce rituel perdure. À partir de Jacques Chirac, les présidents de la République sont presque toujours présents à l'inauguration. Ces dernières années, l'affluence des politiques s'est accélérée. Il est vrai que le Salon est un écho du contexte économique et social de la France, la popularité des hommes et femmes politiques peut y être mesurée. Les tables rondes peuvent être l'objet de discussions sévères ; le Salon est devenu un immense plateau médiatique.

Bien que les agriculteurs représentent moins de 3 % des actifs, le Salon international de l'agriculture compte chaque année une affluence nombreuse. Il représente bien plus qu'une simple vitrine agricole. Les grands dossiers du moment y sont évoqués (aménagement du territoire, développement durable…) et il devient un témoin de la crise touchant les agriculteurs français.

Le quinquennat de Nicolas Sarkozy

Nicolas Sarkozy a fait campagne sur le thème de la « rupture » et promis de nombreuses réformes. Parfois qualifié d'« hyperprésident », volontariste, il n'évite pas les premières années une médiatisation très critiquée, même dans sa vie privée. Il lance de nombreux chantiers mais ses choix ne vont pas sans susciter des mécontentements. La dernière année du quinquennat est marquée par la montée de l'extrême droite.

2007   **L'ouverture.** Bien que les législatives de juin aient donné la majorité absolue à la droite, le Président pratique « l'ouverture ». Le gouvernement dirigé par François Fillon s'étend au centre droit et à la gauche.

La carte judiciaire (27 juin). Sa réforme supprime certains tribunaux.

La révision des dépenses publiques. La loi (en juillet) conduit à la diminution drastique du nombre de fonctionnaires.

La loi Tepa (21 août). Très controversée, elle défiscalise les heures supplémentaires, allège les droits de succession, abaisse le « bouclier fiscal ». Les impôts ne peuvent dépasser 50 % du revenu.

La loi sur la récidive. Elle institue une peine plancher.

Le service minimum. Instauré en cas de grève dans les transports et les écoles publics.

Grenelle de l'environnement. Table ronde sur l'environnement en octobre.

2008   **Le traité européen de Lisbonne.** Il est approuvé par le Parlement, le 8 février (le traité constitutionnel ayant été rejeté par référendum en 2005).

La vague des réformes. 13 février : création du Pôle emploi, regroupant ASSEDIC et ANPE.

21 juillet : révision de la Constitution : le président de la République ne peut dépasser deux mandats consécutifs, le Parlement reçoit de nouveaux droits.

4 août : loi de modernisation de l'économie instituant entre autres le statut d'auto-entrepreneur. Le RSA ou Revenu de solidarité active, qui remplace le RMI et l'allocation de parent isolé depuis 2007, est généralisé.

20 novembre : loi organisant une immigration « choisie ».

2009   Février. Réforme de la taxe professionnelle.

L'OTAN. Mars : la France revient dans le commandement militaire.

2010   **De nouvelles réformes.** Septembre : faisant suite aux violences urbaines de juillet, nouvelle loi sur la sécurité intérieure. Novembre : en dépit d'une forte mobilisation dans tout le pays, promulgation de la réforme des retraites (62 ans au lieu de 60, avec des aménagements). Réforme territoriale créant des conseillers territoriaux.

2011   **Une conjoncture difficile.** 1er janvier : Nicolas Sarkozy, président du G20 pour 2011, annonce des réformes « utiles » pour la « protection des Français » (dépendance...). Mais dans un contexte de croissance faible et de déficits budgétaires, les sujets de polémique économiques, sociaux et culturels sont nombreux.

La réduction des déficits publics (6 novembre). Les mesures portent entre autres sur la hausse de 5,5 % à 7 % du taux réduit de TVA, la suppression de niche fiscales.

LE RETOUR DE LA FRANCE DANS LE COMMANDEMENT INTÉGRÉ DE L'OTAN

▪ La fin de la politique gaullienne

L'OTAN (Organisation du Traité de l'Atlantique nord) est une alliance défensive, créée en 1949, au temps de la guerre froide. Afin de préserver l'indépendance française, de Gaulle avait retiré la France du commandement militaire intégré. Considérant le contexte changé, Nicolas Sarkozy annonce dès 2007 au Congrès à Washington son intention de revenir dans cette structure. Après un vote positif de l'Assemblée nationale (il y a eu toutefois proposition de motion de censure et la question de confiance a dû être posée), en avril 2009 lors d'un sommet de l'OTAN la réintégration de la France est officialisée.

▪ Les objectifs de la réintégration

Nicolas Sarkozy choisit une politique davantage pro-américaine. Cette stratégie a commencé en participant en 1999 à des opérations de l'OTAN au Kosovo puis en aidant les Américains en Afghanistan en 2003. L'objectif est aussi de relancer l'organisation d'une défense européenne communautaire ; c'est également de recentrer le choix des armements vers les équipements moins lourds et plus sophistiqués. La France garde cependant son indépendance nucléaire.

▪ La permanence des oppositions

La France est devenue le quatrième contributeur financier de l'OTAN. L'un de ses quartiers de commandement stratégique (l'ACT ou Commandement Allié Transformation, à Norfolk en Virginie) est dirigé par un général français. Les troupes françaises sont intervenues en Libye en 2011 avec l'OTAN. Cependant, les oppositions perdurent entre les tenants de l'atlantisme qui mettent en avant l'aide que peut représenter L'OTAN et ceux qui soutiennent l'indépendance. Ces derniers font aussi valoir que les centres de gravité de l'Organisation ont changé, ne sont plus seulement européens mais sont devenus planétaires.

Un Rafale de la base de Saint-Dizier dans l'opération de Libye en 2011.

Le quinquennat de François Hollande

Durant sa campagne, François Hollande a promis d'être un président « normal » et de réaliser « 60 propositions ». En dehors de la réforme sociétale du « mariage pour tous », la conduite des affaires intérieures n'a pas permis d'améliorer la crise économique et sociale. La France doit, de plus, affronter le terrorisme sur son territoire comme à l'étranger.

2012 **L'élection de François Hollande.** Le 6 mai, François Hollande l'emporte sur Nicolas Sarkozy avec 51,64 % des voix. En juin, aux législatives, les Français donnent la majorité absolue aux socialistes. Jean-Marc Ayrault forme le gouvernement.
Les premières mesures. Réduction de 30 % du salaire Président et des ministres. Annulation de la TVA sociale et de la défiscalisation des heures supplémentaires.
La montée du chômage. En septembre, on compte plus de 3 millions de chômeurs.
La fin de l'engagement français en Afghanistan. Il est effectif à la mi-décembre.

2013 **L'intervention au Mali.** En janvier, la France intervient militairement au Mali (Opération Serval soutenue par l'ONU) contre la sécession touareg et islamiste.
La loi sur le mariage pour tous. Le 23 avril, la loi est votée au Parlement en dépit d'importantes manifestations d'opposants. Elle ouvre la voie au mariage des homosexuels.
La loi sur la refondation de l'école républicaine. Elle est votée le 8 juillet.
La manifestation des «bonnets rouges» bretons. Le gouvernement annonce un « pacte d'avenir » pour la région et le report de l'écotaxe routière.
La France en Centrafrique. L'armée française intervient le 5 décembre, sous mandat de l'ONU, pour stopper les massacres entre chrétiens et musulmans.

2014 **Le tournant social-démocrate.** Le 14 janvier, le Président Hollande détaille son « pacte de responsabilité » pour augmenter la compétitivité des entreprises françaises.
Le revers des municipales. La défaite électorale importante des socialistes amène le Président à changer de gouvernement. Manuel Valls devient Premier ministre.
La suppression des peines-planchers. La loi est votée le 15 août.

2015 **Les attentats terroristes.** Du 7 au 9 janvier, 17 personnes sont tuées dont les journalistes de Charlie Hebdo. 11 janvier : marche « républicaine » contre le terrorisme à laquelle participent de nombreux chefs d'État et de gouvernement étrangers.
Les élections départementales (mars). La droite est majoritaire. Les conseils départementaux remplacent les conseils généraux.
La réorganisation territoriale (7 août). La loi NOTRe approfondit la décentralisation.
Début de l'opération Chammal (27 septembre). La France intervient en Syrie avec la coalition arabo-occidentale contre l'État islamique.
La France de nouveau touchée par le terrorisme (13 novembre). L'état d'urgence est décrété. Le contrôle aux frontières rétabli.
La Cop 21 (novembre-décembre). La Conférence sur le climat se réunit avec succès à Paris.
Les élections régionales (décembre). La droite est légèrement majoritaire.

2016 **Treize régions métropolitaines :** le nouveau découpage régional entre en vigueur le 1er janvier.

LA LOI SUR LE MARIAGE POUR TOUS

◼ Les insuffisances du Pacs

Le Pacs (pacte civil de solidarité) permet aux couples hétérosexuels ou homosexuels d'établir légalement en concubinage mais il n'offre pas des garanties juridiques égales à celles du mariage civil (héritage, adoption conjointe…). Des campagnes menées par des associations et des politiques ont donc réclamé le mariage pour les couples de même sexe.

◼ Le vote de la loi

La loi fait partie des promesses de campagne de François Hollande, élu président de la République en 2012. Le projet est présenté en novembre et promulgué après vote du Parlement le 18 mai 2013. Cette loi, autorisant pour les couples de même sexe le mariage et l'adoption, a donné lieu à de longs débats au Parlement ainsi qu'à de grandes manifestations favorables ou hostiles au projet.

◼ La loi en application

La France est devenue le 14ᵉ pays à autoriser le mariage homosexuel. Le premier mariage entre personnes de même sexe en France a eu lieu à Montpellier, le 29 mai 2013. En 2015, 8 000 mariages de ce type ont été célébrés (10 522 en 2014). Des questions restent en suspens comme la PMA (procréation médicalement assistée) et surtout la GPA (gestation pour autrui).

La loi autorisant le mariage entre personnes du même sexe a été adoptée, en 2012, au nom de l'égalité des droits. La discussion et le vote se sont déroulés dans un contexte extrêmement tendu qui a marqué durablement l'opinion publique.

Les manifestations en faveur du mariage pour tous ont réuni plusieurs centaines de milliers de personnes à l'appel entre autres des organisations LGBT (lesbiennes, gays, bi et trans).

300 000 personnes manifestent contre le mariage pour tous, le 24 mars 2013 (1 400 000 selon les manifestants). Le mouvement va ensuite se diviser, une partie s'étant radicalisé.

La France face aux défis à relever

La France possède de multiples atouts et demeure une puissance importante. Elle est cependant confrontée à de multiples défis économiques, sociaux, sociétaux. La représentation et la vie politiques constituent aussi des enjeux majeurs. La France doit également mener la lutte contre le terrorisme.

La réduction des inégalités. L'Observatoire des inégalités note un écart accru entre les catégories populaires et les catégories aisées, et cela malgré les mesures prises (fiscalité, baisse du plafond du quotient familial d'un côté, minima sociaux, allocations logement de l'autre). Contre le chômage (plus de 3 millions de personnes) et la dette publique, le gouvernement mène une politique d'austérité et de fiscalité forte. Il s'efforce d'assouplir le marché du travail afin de créer des emplois mais en 2016, la loi El Khomri (loi-travail) a déclenché d'importantes mobilisations. La loi scolaire de 2013 sur la refondation de l'école de la République (très critiquée) a également pour objectif la réduction des inégalités.

La réaffirmation des valeurs de la République. Face aux communautarismes et au terrorisme, la France réaffirme ses valeurs, en particulier la laïcité, garante de l'unité nationale et dont l'école est un lieu essentiel de transmission. Les symboles républicains comme *La Marseillaise* ou le pavoisement, sont remis à l'honneur.

La lutte contre le réchauffement climatique. L'environnement et le développement durable sont devenus cause nationale. Depuis 2004, la Charte de l'environnement est inscrite dans bloc de constitutionnalité et la France joue un rôle mondial dans ce domaine. La 21e conférence internationale sur le climat s'est tenue à Paris du 30 novembre au 11 décembre 2015. Elle a réuni 147 chefs d'État et plus de 20 000 délégués et observateurs. Un accord a été signé pour maintenir le réchauffement de la température globale en deçà de 2 °C.

Le 26 mai 2016, François Hollande et la Chancelière allemande Angela Merkel commémorent le centenaire de la bataille de Verdun. L'axe franco-allemand est un pilier essentiel dans les enjeux posés par la construction européenne.

LA LUTTE CONTRE LE TERRORISME

◼ Les attentats de janvier

Du 7 au 9 janvier, une série d'attentats vise la rédaction du journal satirique *Charlie Hebdo*, des policiers et des clients d'un commerce casher. 17 personnes sont tuées et les trois tueurs abattus. L'attaque contre les journalistes est revendiquée par l'organisation terroriste islamique Al Qaïda. Ces attentats déclenchent une vague d'indignation internationale. Des marches « républicaines » ont lieu en France, celle de Paris réunit plus d'1,2 million de personnes ainsi que de nombreux chefs d'État et de gouvernement étrangers.

En 2016, plus de 10 000 soldats sont déployés dans le cadre de l'opération Sentinelle pour « protéger la population ».

◼ Les attaques terroristes du 13 novembre

Les attentats se produisent à Saint-Denis, au stade de France puis dans les Xe et XIe arrondissements, dans la rue et dans la salle de spectacle du Bataclan. Le bilan est de 130 morts (de toutes nationalités) et de 413 personnes hospitalisées. Ces attentats sont revendiqués par l'État islamique (Daech).

◼ Les réponses au terrorisme

Depuis le 12 janvier, l'armée est mobilisée contre la menace terroriste (opération Sentinelle impliquant 13 000 hommes en 2016) ;

elle est appuyée par la police et la gendarmerie. La loi relative au renseignement est votée en juillet (en dépit des critiques sur la restriction des libertés). L'état d'urgence est décrété le 14 novembre et reconduit. La lutte se fait à la fois sur le sol national mais aussi à l'étranger, au Mali et en Syrie contre les islamistes radicaux d'Al-Qaïda ou de Daech. La menace terroriste amène aussi à consolider la politique européenne commune et à repenser l'espace Schengen (en préservant l'accueil des migrants).

Le slogan « Je suis Charlie » (ici le 11 janvier à Strasbourg), symbolise le soutien aux victimes et la défense des libertés.

LEXIQUE

aide : taxes sur la consommation de certains produits, comme le vin ou les cartes à jouer.

alternance : arrivée au pouvoir d'un président de la République ou d'une majorité parlementaire représentant une orientation politique différente de celle qui a précédé.

aristocrate, aristocratie : d'un mot grec qui signifie « les meilleurs ». Gouvernement dirigé par un groupe social peu nombreux, souvent les nobles.

bailli : représentant du roi qui a autorité, en matière administrative et judiciaire, sur l'étendue d'une circonscription territoriale : le bailliage.

biens nationaux : biens (terres, forêts, bâtiments…) appartenant au clergé et aux émigrés et mis à la disposition de la nation, c'est-à-dire confisqués par l'État et mis en vente pendant la Révolution.

bourgeois : à l'origine, habitant d'un bourg ou d'une ville possédant certains privilèges (par une charte). Par la suite, personne possédant une certaine fortune.

capitation : impôt par tête, taxe levée sur l'individu.

carnet B : à la veille de la guerre de 1914, liste de militants socialistes suspects de vouloir saboter la mobilisation générale par la grève.

caste : groupe social fermé qui se distingue par ses activités, sa manière de vivre, ses avantages, et qui exclut toute personne étrangère à ce milieu de vie.

cathare (ou albigeois) : membre d'une secte répandue du XIᵉ au XIIIᵉ siècle dans le midi de la France (Albi, Toulouse, Carcassonne). Elle oppose le Bien, domaine de l'Esprit, et le Mal, domaine du monde matériel. Elle préconise une foi dépouillée et austère. L'Église condamne cette hérésie considérée comme contraire à la doctrine catholique.

cens électoral : montant minimum d'impôts directs au-dessous duquel un citoyen n'a pas le droit de vote.

censitaire (régime ou suffrage) : système dans lequel le droit de vote est réservé aux citoyens qui paient le cens.

chancelier : premier officier du roi, il dirige la justice, la police, l'administration et garde les sceaux.

charte : au Moyen Âge, contrat par lequel un seigneur concède des droits ou libertés à une ville dépendante de sa seigneurie.
Au XIXᵉ siècle, lois constitutionnelles d'un État, établies par concession du souverain et non par les représentants du peuple.

chevalier : à l'origine, guerrier à cheval, puis noble censé appliquer les valeurs de la chevalerie.

cohabitation : coexistence à la tête de l'exécutif d'un président de la République et d'un Premier ministre appartenant à des courants politiques opposés.

commanderie : domaine foncier de l'ordre du Temple.

commune : ville libre, ville franche qui s'est affranchie du réseau féodal, le plus souvent en achetant au seigneur sa liberté. Ses habitants, liés par le serment communal, administrent en commun la ville.

concile : assemblée nationale ou mondiale des évêques, pour fixer la doctrine ou les règles de la discipline au sein de l'Église.

connétable : chef de l'armée royale jusqu'au XVIIᵉ siècle.

conscription : recrutement des jeunes gens « inscrits ensemble » parce qu'ils atteignent l'âge légal pour le service militaire.

Constitution : ensemble des lois fondamentales qui fixent la répartition et le fonctionnement des pouvoirs exécutif, législatif et judiciaire. Une Constitution énumère également les principes sur lesquels reposent l'État et la société.

corporation : organisation regroupant toutes les personnes (apprentis, compagnons, maîtres) exerçant la même profession selon des règlements précis et contraignants.

corvée : travail obligatoire et gratuit dû par les villages au roi (pour la construction des routes, par exemple). Travail dû par les paysans à leur seigneur trois à quatre jours par an.

cultuelles : associations de fidèles chargées par la loi de séparation des Églises et de l'État du 9 décembre 1905 de récupérer et de gérer les biens des paroisses après inventaire.

déflation : politique de lutte contre l'inflation consistant à restreindre la demande pour modifier l'évolution des prix.

dixième : impôt extraordinaire levé irrégulièrement de 1710 à 1749 sur les revenus de la terre et de l'industrie.

dragonnade : procédé de conversion forcée. Les dragons, des soldats, logeaient chez les protestants et s'y comportaient avec brutalité.

droit coutumier : ensemble des lois particulières à une communauté humaine et transmises de génération en génération.

édit : en France, acte législatif royal concernant un seul sujet, comme l'édit de Nantes sur le protestantisme.

états généraux : assemblée des représentants des trois ordres ou états du royaume : clergé, noblesse et tiers état. Convoqués par le roi en cas de difficultés exceptionnelles, les premiers états généraux traditionnels se réunissent en 1302, les derniers en 1789.

excommunication : acte qui consiste, dans l'Église catholique, à retrancher le coupable de la communauté des fidèles, en le privant des sacrements et des prières publiques.

exécutif (pouvoir) : il est chargé de faire appliquer les lois dans un pays. Le pouvoir exécutif est aux mains du gouvernement. Dans une démocratie, le pouvoir exécutif est contrôlé par le pouvoir législatif, qui peut éventuellement le renverser.

féminisme : mouvement collectif visant à améliorer la condition, la place des femmes dans la société et à lutter pour l'égalité des droits entre les hommes et les femmes.

gabelle : impôt royal sur le sel, plus ou moins élevé selon les provinces.

girondins : groupe de députés de la Convention dont les principaux représentants viennent du département de la Gironde.

guerre froide : Conflit politique et idéologique qui divise l'Europe et le monde entre 1947 et 1990. Les États-Unis et l'URSS, chacun à la tête d'un bloc, s'affrontent par pays interposés.

hébertistes : partisans d'Hébert, rédacteur du journal *Le Père Duchesne*, fondé en 1790, qui était le porte-parole des révolutionnaires extrémistes.

inflation : hausse générale et durable des prix. La monnaie perd de sa valeur.

intendant : agent royal chargé depuis le xvie siècle de l'administration des provinces. Les intendants sont localement à la tête de tous les agents royaux.

Internationale : terme désignant des regroupements de partis ouvriers, à l'échelle internationale.

jacobins : nom donné à des révolutionnaires ardents et intransigeants qui se réunissaient, à Paris, dans l'ancien couvent des Jacobins. Ils dominèrent la Convention de l'été 1793 à l'été 1794 et étaient partisans de la Terreur et de la concentration du pouvoir entre les mains de quelques hommes.

judiciaire (pouvoir) : pouvoir chargé de faire respecter la loi.

laïcité : valeur fondatrice et principe de la République. Elle assure la neutralité de l'État en matière de religion, la liberté de conscience et la liberté d'opinion.

législatif (pouvoir) : il est chargé d'établir et de voter les lois. Dans une démocratie, il appartient aux assemblées de représentants élus par la nation. Le pouvoir législatif peut éventuellement renverser le pouvoir exécutif ; c'est le principe de la responsabilité gouvernementale devant les assemblées.

légitimiste : partisan pour la succession au trône de France de la branche issue directement des Bourbons (Charles X et sa lignée).

limes : frontière fortifiée de l'Empire romain.

loi salique : code de lois fixant les compensations financières des crimes et délits chez les Francs saliens (autrefois riverains de la Sala, branche du Rhin, aujourd'hui IJssel). Entre le xive siècle et le xve siècle, un article sur l'héritage des fiefs fut abusivement étendu au royaume : les femmes furent ainsi écartées du trône de France.

monarchie de droit divin : régime politique dans lequel le monarque (le seul à disposer de la souveraineté) tire son pouvoir d'une désignation divine.

montagnards : groupe de députés de la Convention ainsi appelés parce qu'ils siégeaient sur les bancs en haut de l'Assemblée. Ces députés s'appuyaient sur le mouvement populaire des sans-culottes.

motion de censure : dans la Constitution de la Ve République, texte proposé par 10 % au moins des députés et exprimant la méfiance de l'Assemblée nationale à l'égard du gouvernement.

nationalisation : confiscation par l'État (avec ou sans indemnisation) d'une entreprise à ses propriétaires.

opportuniste : républicain modéré, soucieux de ne réaliser le programme républicain que par étapes, en tenant compte des possibilités de « l'opportunité ».

ordres : la société française d'Ancien Régime est composée de trois ordres : d'une part, le clergé et la noblesse, ordres privilégiés qui ne payent pas d'impôts directs, sauf exceptions, et en prélèvent à leur profit ; d'autre part, le tiers état, qui regroupe l'immense majorité des Français restants et paye des impôts au roi, au clergé et à la noblesse.

orléaniste : partisan par la succession au trône de France de la branche d'Orléans (Louis-Philippe et sa lignée).

OTAN : sigle de l'Organisation du traité de l'Atlantique Nord, fondée en 1949 entres les États-Unis et les pays d'Europe occidentale et impliquant assistance militaire en cas d'agression.

parlementaire (régime) : dans un régime parlementaire, le pouvoir législatif appartient au Parlement, c'est-à-dire à une ou plusieurs assemblées dont les membres sont élus par les citoyens. Le gouvernement est responsable devant le Parlement.

planification : elle consiste à fixer la quantité et la qualité des biens que les entreprises doivent produire au cours d'une période donnée. En France, la planification est indicative.

plébiscite : à partir d'un texte donné, vote direct des citoyens appelés à accorder par « oui » ou par « non » leur confiance à un dirigeant ou à un régime politique.

poilus : surnom donné aux soldats français pendant la Première Guerre mondiale.

question : torture légale infligée aux accusés et aux condamnés dans l'intention de leur arracher des aveux.

quinquennat : limitation à cinq ans du mandat présidentiel (au lieu de sept auparavant).

référendum : consultation directe des électeurs, qui répondent par « oui » ou par « non » à une censure proposée par les pouvoirs publics.

réformé : protestant, partisan de la Réforme. On dit aussi « huguenot ».

régence : période pendant laquelle, à cause de la minorité du roi, un proche parent, souvent la mère, exerce la réalité du pouvoir.

relaps : hérétique qui revient sur ses aveux.

responsabilité : obligation pour les ministres de quitter le pouvoir lorsque les députés leur retirent leur confiance par un vote défavorable.

sans-culottes : nom donné aux républicains les plus ardents sous la Révolution française. On les appelait ainsi parce que, hommes du peuple, ils portaient le pantalon alors que la culotte (qui s'arrêtait aux genoux) était aristocratique.

sénatus-consulte : décret adopté par le Sénat sous le premier et le second Empire.

sénéchal : équivalent dans le Midi du bailli.

taille : impôt royal direct, annuel depuis 1439, sur les roturiers et les terres roturières (donc payée par les nobles du Midi qui en possèdent).

ultra : personne qui pousse à l'extrême une opinion politique.

universel (suffrage) : système électoral qui donne le droit de vote à tous les habitants adultes du pays. En France, l'exercice du suffrage universel masculin date de 1848, celui du suffrage universel réunissant hommes et femmes, de 1944.

vaudois : du nom de Pierre Valdo. Membre d'une secte hérétique de confession chrétienne apparue en France au XIIe siècle.

vénalité des offices : possibilité d'acheter les fonctions de justice, de finances et de l'armée.

CHRONOLOGIE

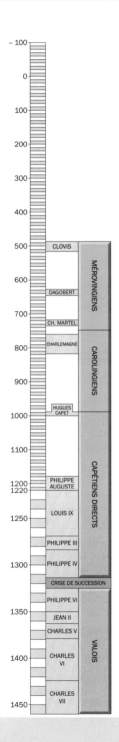

CLOVIS	MÉROVINGIENS
DAGOBERT	
CH. MARTEL	
CHARLEMAGNE	CAROLINGIENS
HUGUES CAPET	
PHILIPPE AUGUSTE	CAPÉTIENS DIRECTS
LOUIS IX	
PHILIPPE III	
PHILIPPE IV	
CRISE DE SUCCESSION	
PHILIPPE VI	VALOIS
JEAN II	
CHARLES V	
CHARLES VI	
CHARLES VII	

Scale: −100, 0, 100, 200, 300, 400, 500, 600, 700, 800, 900, 1000, 1100, 1200, 1220, 1250, 1300, 1350, 1400, 1450

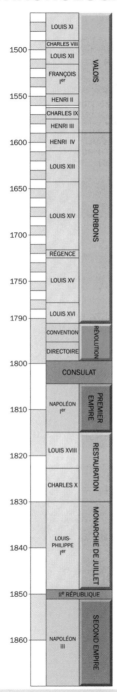

LOUIS XI	VALOIS
CHARLES VIII	
LOUIS XII	
FRANÇOIS Ier	
HENRI II	
CHARLES IX	
HENRI III	
HENRI IV	BOURBONS
LOUIS XIII	
LOUIS XIV	
RÉGENCE	
LOUIS XV	
LOUIS XVI	
CONVENTION	RÉVOLUTION
DIRECTOIRE	
CONSULAT	
NAPOLÉON Ier	PREMIER EMPIRE
LOUIS XVIII	RESTAURATION
CHARLES X	
LOUIS-PHILIPPE Ier	MONARCHIE DE JUILLET
IIe RÉPUBLIQUE	
NAPOLÉON III	SECOND EMPIRE

Scale: 1500, 1550, 1600, 1650, 1700, 1750, 1790, 1800, 1810, 1820, 1830, 1840, 1850, 1860

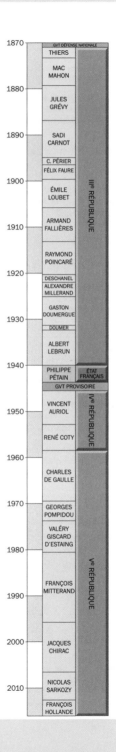

GVT DÉFENSE NATIONALE	
THIERS	IIIe RÉPUBLIQUE
MAC MAHON	
JULES GRÉVY	
SADI CARNOT	
C. PÉRIER	
FÉLIX FAURE	
ÉMILE LOUBET	
ARMAND FALLIÈRES	
RAYMOND POINCARÉ	
DESCHANEL	
ALEXANDRE MILLERAND	
GASTON DOUMERGUE	
DOUMER	
ALBERT LEBRUN	
PHILIPPE PÉTAIN	ÉTAT FRANÇAIS
GVT PROVISOIRE	
VINCENT AURIOL	IVe RÉPUBLIQUE
RENÉ COTY	
CHARLES DE GAULLE	Ve RÉPUBLIQUE
GEORGES POMPIDOU	
VALÉRY GISCARD D'ESTAING	
FRANÇOIS MITTERAND	
JACQUES CHIRAC	
NICOLAS SARKOZY	
FRANÇOIS HOLLANDE	

Scale: 1870, 1880, 1890, 1900, 1910, 1920, 1930, 1940, 1950, 1960, 1970, 1980, 1990, 2000, 2010

LES ROIS DE FRANCE

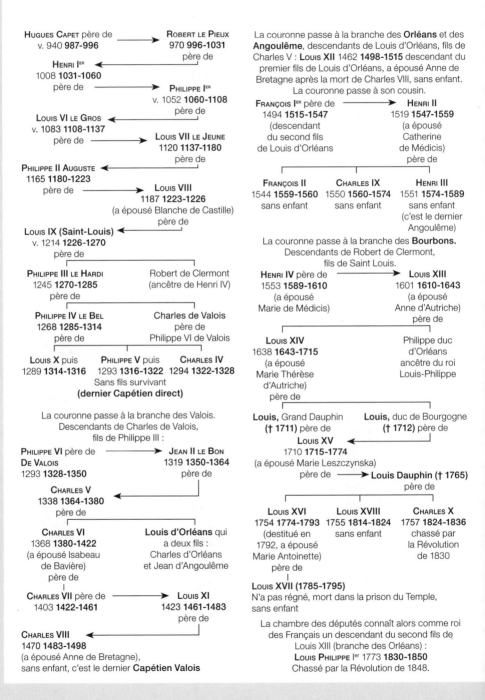

Hugues Capet père de → **Robert le Pieux**
v. 940 **987-996** 970 **996-1031**
père de

Henri Iᵉʳ ←
1008 **1031-1060**
père de → **Philippe Iᵉʳ**
v. 1052 **1060-1108**
père de

Louis VI le Gros ←
v. 1083 **1108-1137**
père de → **Louis VII le Jeune**
1120 **1137-1180**
père de

Philippe II Auguste ←
1165 **1180-1223**
père de → **Louis VIII**
1187 **1223-1226**
(a épousé Blanche de Castille)
père de

Louis IX (Saint-Louis) ←
v. 1214 **1226-1270**
père de

Philippe III le Hardi Robert de Clermont
1245 **1270-1285** (ancêtre de Henri IV)
père de

Philippe IV le Bel Charles de Valois
1268 **1285-1314** père de
père de Philippe VI de Valois

Louis X puis **Philippe V** puis **Charles IV**
1289 **1314-1316** 1293 **1316-1322** 1294 **1322-1328**
Sans fils survivant
(dernier Capétien direct)

La couronne passe à la branche des Valois.
Descendants de Charles de Valois,
fils de Philippe III :

Philippe VI père de → **Jean II le Bon**
De Valois 1319 **1350-1364**
1293 **1328-1350** père de

Charles V ←
1338 **1364-1380**
père de

Charles VI **Louis d'Orléans** qui
1368 **1380-1422** a deux fils :
(a épousé Isabeau Charles d'Orléans
de Bavière) et Jean d'Angoulême
père de

Charles VII père de → **Louis XI**
1403 **1422-1461** 1423 **1461-1483**
père de

Charles VIII ←
1470 **1483-1498**
(a épousé Anne de Bretagne),
sans enfant, c'est le dernier **Capétien Valois**

La couronne passe à la branche des **Orléans** et des
Angoulême, descendants de Louis d'Orléans, fils de
Charles V : **Louis XII** 1462 **1498-1515** descendant du
premier fils de Louis d'Orléans, a épousé Anne de
Bretagne après la mort de Charles VIII, sans enfant.
La couronne passe à son cousin.

François Iᵉʳ père de → **Henri II**
1494 **1515-1547** 1519 **1547-1559**
(descendant (a épousé
du second fils Catherine
de Louis d'Orléans de Médicis)
père de

François II **Charles IX** **Henri III**
1544 **1559-1560** 1550 **1560-1574** 1551 **1574-1589**
sans enfant sans enfant sans enfant
(c'est le dernier
Angoulême)

La couronne passe à la branche des **Bourbons**.
Descendants de Robert de Clermont,
fils de Saint Louis.

Henri IV père de → **Louis XIII**
1553 **1589-1610** 1601 **1610-1643**
(a épousé (a épousé
Marie de Médicis) Anne d'Autriche)
père de

Louis XIV Philippe duc
1638 **1643-1715** d'Orléans
(a épousé ancêtre du roi
Marie Thérèse Louis-Philippe
d'Autriche)
père de

Louis, Grand Dauphin **Louis,** duc de Bourgogne
(† 1711) père de († 1712) père de
Louis XV ←
1710 **1715-1774**
(a épousé Marie Leszczynska)
père de → Louis Dauphin († 1765)
père de

Louis XVI **Louis XVIII** **Charles X**
1754 **1774-1793** 1755 **1814-1824** 1757 **1824-1836**
(destitué en sans enfant chassé par
1792, a épousé la Révolution
Marie Antoinette) de 1830
père de

Louis XVII (1785-1795)
N'a pas régné, mort dans la prison du Temple,
sans enfant

La chambre des députés connaît alors comme roi
des Français un descendant du second fils de
Louis XIII (branche des Orléans) :
Louis Philippe Iᵉʳ 1773 **1830-1850**
Chassé par la Révolution de 1848.

LES CHEFS D'ÉTATS DEPUIS 1792

■ Première République
(1792-1804)

CONVENTION (1792-1795)
- Principaux membres du Comité de salut public : Danton, Barère, Cambon et Treilhard.
- Sont constamment réélus de juillet 1793 à juillet 1794 : Barère, Carnot, Collot d'Herbois, Couthon, Billaud-Varenne, Héraut de Séchelles, Lindet, Prieur de la Marne, Prieur de la Côte d'Or, Robespierre, Jeanbon Saint-André.
- Ensuite : Cambarécès, Merlin de Douai, Reubell et Sieyès.

DIRECTOIRE (1795-1799)
- Équipe initiale : Carnot, Barras, Larevellière-Lépaux, Letourneur et Reubell.
- S'intègrent au fur et à mesure des départs : Barthélémy, Merlin de Douai, François de Neufchâteau, Sieyès, Gohier, Ducos et Moulin.

CONSULAT (1799-1804)
- Consuls provisoires : Bonaparte, Sieyès et Ducos.
- Puis : Bonaparte, Premier consul et Cambacérès et Lebrun, consuls.
- **Bonaparte** est consul à vie en mai 1802.

■ Premier Empire
(1804-1814/1845)
Napoléon Ier, empereur des Français

■ Retour du roi
(1814/1815-1848)
Voir chronologie ci-contre.

■ Deuxième République
(1848-1852)
- Gouvernement provisoire (formé le 24.2.1848)
- Louis Napoléon Bonaparte président (10.12.1848-2.12.1852)

■ Second Empire
(1852-1870)
- Napoléon III (2.12.1852-4.9.1870)

■ Troisième République
(1870-1940)*
- Gouvernement de la Défense nationale 4.9.1870-2.1871
- Adolphe Thiers – 17.2.1871
- Maréchal Patrice de Mac-Mahon 24.5.1873 – démissionne 30.1.1879
- Sadi Carnot – 3.12.1887 – assassiné 24.6.1894
- Jean Casimir-Perier 27.6.1894 – démissionne 15.1.1895
- Félix Faure – 17.1.1895 – 16.2.1899
- Émile Loubet – 18.2.1899
- Armand Fallières – 17.1.1906
- Raymond Poincaré – 17.1.1913
- Paul Deschanel – 17.1.1920 – démissionne 21.9.1920
- Alexandre Millerand 24.9.1920 – démissionne 11.6.1924
- Gaston Doumergue – 13.6.1924
- Paul Doumer – 13.5.1931 – assassiné 6.5.1932
- Albert Lebrun – 10.5.1932 – se retire 7.1970

■ L'État français
(1940-1944)*
- Maréchal Philippe Pétain – 17.7.1940-1944

■ Gouvernement provisoire
(1944-1946)*
- Charles de Gaulle – 2.6.1944-20.1.1946
- Félix Gouin, Georges Bidault, Léon Blum (1946)

■ Quatrième République
(1946-1958)
- Vincent Auriol – 16.1.1947
- René Coty – 23.12.1953

■ Cinquième République
(1958-...)*
- Charles de Gaulle – 21.12.1958 – 19.12.1965 démissionne 28.4.1969
- Georges Pompidou – 15.6.1969 – 2.4.1974
- Valéry Giscard d'Estaing – 19.5.1974
- François Mitterand – 10.5.1995
- Jacques Chirac – 17.5.1995
- Nicolas Sarkozy – 16.5.2007
- François Hollande – 06.05.2012

(*) Il s'agit des dates d'élection et non des dates de prise de fonction.

Édition : Sébastien Le Jean, Judith Ajchenbaum
Iconographie : Estelle Dhenin, Nadine Gudimard
Cartographie : Romuald Belzacq (Légendes Cartographie)
Composition et photogravure : PCA

FSC
www.fsc.org
MIXTE
Papier issu
de sources
responsables
FSC® C022030

Impression & brochage SEPEC - France
N° de projet : 10221384
N° d'impression : 06601160727 - Dépôt légal : Août 2016